KB198526

홍승은

글과 말을 다루는 표현 노동자.

서툴게 사랑하고 이별하며 매 순간 관계를 배운다. 예고된
상처를 알면서도 함께 살자고 활짝 여는 모든 마음을 존경한다.
그 마음을 기억하며 새벽마다 책상 앞에 앉아 글을 빚는다.
『당신이 계속 불편하면 좋겠습니다』, 『당신이 글을 쓰면
좋겠습니다』, 『두 명의 애인과 삽니다』, 『숨은 말 찾기』 등을 썼다.
모든 책에는 나를 허물고 구원한 관계가 녹아 있었다.

익숙해진 관계를 낯설게 바라보며 이 책을 쓰는 동안
나는 혼자가 아니었다.

인스타그램 @seungeun_hong

관계의 말들

관계의 말들

함께 또 따로 잘 살기 위하여

홍승은 지음

들어가는 말

우리의 난잡함이 우리를 구할 것이다.
— 더글러스 크림프 (How to have promiscuity in an Epi-
demic, 1987)

"넌 관계 전문가잖아! 넌 지금 『관계의 말들』도 쓰고 있잖
아. 그런데 왜 그래?" 지난여름, 친구와 다투던 중 이런 말을 들
었다. 나는 욱하는 마음을 애써 누르고 답했다. "그거 진짜 (정곡
을 찌르는) 치사한 말이야. 잘 알아서 쓰는 책이 어디 있어? 모르
니까 알고 싶어서 쓰는 거지. 관계가 뭔지, 사랑이 뭔지, 욕망이
뭔지 모르니까 모여서 이야기 나누자고 쓰는 거거든!" 내 말에
친구는 김빠진 표정으로 "너 똑똑하다…"라며 웃었고, 나도 따라
웃었다. 그날의 갈등은 싱겁게 풀렸다. 책을 쓰면서 관계가 원활
하게 풀린 흔치 않은 순간이었다.

그렇다. 나는 관계 전문가여서 이 글을 쓰는 게 아니라 관계
맺음이 너무 어려워서, 알고 싶어서 글을 쓴다. 책을 쓰는 동안
많은 변화가 있었다. 흰머리가 몇 가닥 늘었고, 아침저녁으로 먹
어야 하는 알약이 늘었다. 일주일에 다섯 번 연락하던 친구와 일
년에 한 번 연락하기 어려운 사이가 되었고, 오랫동안 연락이 끊

겼던 친구와 다시 포옹하게 되었다. 진한 연애와 구질구질한 이별을 겪었고, 함께 사는 반려인의 구성이 바뀌었고, 수많은 슬픔과 기쁨으로 감정이 오르락내리락했다. 이토록 불안정하게 언제나 현재진행형인 관계를 어떻게 포착해 글에 담을 수 있을까. 미워하는 마음과 사랑하는 마음은 경계 없이 뒤섞여 빙빙 도는데, 어떻게 풀어낼 수 있을까.

어렵지만 해내고 싶은 과제를 등에 업고, '관계'를 중심으로 매일을 바라봤다. 주위의 모든 관계를 낯설게 보았고, 내가 인용하는 책의 저자와 그 책에 등장하는 다양한 생명들, 나아가 지구와 관계 맺는 법도 고민했다. 독서는 저자와 독자의 세계가 만나 관계 맺는 시간이 맞았다. 이것도 관계, 저것도 관계였다. 책과 글을 통해 관계 맺는 일은 비교적 고상한 방식이다. 그것은 안전했고 대부분 예측 가능한 범위 안에 있다. 현실은? 엉망진창이다. 타자는 결코 내 예상에 담을 수 없고, 그건 나 역시 마찬가지다. 한 시간 전에는 그토록 사랑했던 이가 한 시간 뒤에 세상에서 가장 미운 존재가 되기도 했으니까.

관계나 공동체, 함께, 연대라는 단어는 아름답지만, 그런 단어가 현실에 펼쳐질 때는 수많은 갈등과 복잡한 감정과 위계 같은 것들이 우리 사이에 놓인다. 때로는 단절되고, 때로는 깊은 생채기를 남긴다. '같이'의 '가치'라는 말만 알았지, 함께하는 일이 기꺼이 상처 받을 준비를 해야 하는 어려운 도전이라는 건 누구도 알려 주지 않았다.

그래도 우리는 함께 살아간다. 온갖 도전(어려움)에 부딪히며, 누군가는 결혼제도 안에서의 불평등 때문에 힘들었고, 누군가는 제도에 포함되지 못하는 관계 때문에 힘들었다. 누군가는 기존의 언어로 담을 수 없는 관계 앞에서 혼란을 느꼈고, 누군가는 벗어나야 할 것을 알면서도 그러지 못하는 자신을 미워했다. 사회적으로 고립된 누군가는 관계 맺을 권리를 이야기했고, 비슷한 상황의 누군가는 안전하게 헤어질 권리를 말했다. 관계란 단지 개인과 개인의 만남이 아니라, 사회적 맥락과 권리가 뒤엉켜 만들어지는 것이었다.

관계를 생각하는 일은 내가 의존하며 끝없이 닿아 있는 아득한 세계를 실감하는 시간이기도 했다. 가깝게는 함께 사는 식구들과의 관계부터 원가족, 친구, 연인, 동료, 이웃, 아직 이름 없는 수많은 관계, 비인간 동물과 식물들, 지구까지 인식이 확장되는 일이었다. 우리는 서로를 오염시키며 공생하고 있었다. 누군가의 체취, 말, 한숨, 표정, 폭력, 노동, 죽음, 빈자리. 그 흔적들을 매일 온, 오프라인으로 실시간 직면하며 살아간다. 연결된 채 살아간다.

그런데 외롭다는 말이 나온다. 왜 그럴까. 사실은 함께 있는데 그걸 감각할 기회가 차단된 채 살아왔기 때문이다. 누군가의 노동을, 애씀을, 흔적을 보는 법을 배우지 못했기 때문이다. 그래서 책에서도 나는 자주 외로움과 공허함을 고백했다. 정말 혼자여서가 아니라 혼자라고 느꼈기 때문이다. 무엇이 우리를 혼자라고 느끼게 할까. 그걸 구원할 수 있는 건 멋진 연인이나 화목한 가정만이 아닌데. 궁금했다. 왜 매일 '고독사'라고 이름 붙여진 죽음을 맞이하는 사람들이 있을까. 왜 그 죽음 주위를 빙빙 도는 이들이 있을까. 그건 단지 개인의 의지나 매력만의 문제일까. 그게 아니라면 나와 우리는 어떤 자세로 이 세계에 존재해야 하는 걸까. 관계 맺어야 하는 걸까. 질문이 끝없이 이어졌다. 제대로 답할 자신은 없었지만, 계속 질문해야만 '우리'라는 불가능한 도전이 가능할 거라고 믿었다.

우리, 함께 흔들려요. 꼭 자유해요. 첫 책이 나온 뒤 사인할 때마다 이 문장을 써 왔다. 생각해 보면 정말 어려운 단어들의 조합이다. 일단 '우리'라는 말부터 그렇다. 당신과 나는 언제 우리가 될 수 있을까. '흔들린다'는 말도 그렇다. 일상과 감정이 흔들리면 어지럽고 혼란스러운데도 흔들리자고 말해 왔다. 게다가 자유라니, 자유는 혼자서 이룰 수 있는 게 아닌걸. 그중 가장 어려운 말은 '함께'다. 함께라는 말 속에는 언제나 찌걱대고 삐걱대는 위태로움이 있다. 서로 다른 면을 발견하고, 서운하고, 울컥하고, 억울하고, 밉고, 그러다가 불쌍하고, 다시 손 내밀어 보고. 그런 과정을 반복하는 게 함께하는 일이었다.

그래도 이 문장을 포기하지 않고 쓴 이유는 우리가 함께라는 믿음을 믿기 때문이다. 이 감각을 잃지 않는다면, 세계의 장막에 가려진 의문과 불의가 조금씩 실체를 드러낼 거라고 믿기 때문이다. 거리에서 내몰리는 노숙자와 코로나로 집단 사망하는 누군가의 죽음이, 살처분되는 비인간 동물들과 기후 위기로 죽어가는 제3세계의 누군가 혹은 북극곰의 고통이, 우리와 어떻게 연결되어 있는지를 실감한다면 우리는 조금 더 겸손하고 진지하게, 마음을 열고 함께 살 방식을 고민할 수 있을 거다.

내 모든 책이 그랬지만, 이 책에는 특히 나를 살리고 감싼 수많은 이의 모습이 녹아 있다. 그들의 모습과 그들에게 들은 말 한마디와 그날의 공기를 떠올리며 한 자 한 자 적었던 많은 날에 나는 혼자가 아니라고 느꼈다. 명확한 관계의 팁이나 해답은 결코 쓸 수 없었지만, 관계가 나에게 미친 영향을 기록할 수는 있었다. 내가 공허하다고 느끼며 혼자만의 독방으로 들어갈 때, 내 옷깃을 잡아 양지 바른 곳으로 이끌어 준 이들의 흔적 역시 이 책에 담을 수 있었다. 이 책이 부디 당신이 혼자라고 느낄 때, 당신의 옷깃을 툭 건드려 잠시라도 함께임을 느끼는 미세하고 부드러운 촉감으로 닿길 바란다.

　　우리는 끝내주게 모순적이고 이상한 존재들이다. 그 사실을 자주 망각하고 살아갈 뿐. 게다가 우리는 이미 끝내주게 난잡한 관계를 맺고 있다. 가족이나 연인이라는 제도적인 승인이 없어도 서로 마음 쓰고 몸 쓰며 애쓰는 관계 속에 뒤엉켜 살아가니까. 그런데도 여전히 어떤 관계는 더럽다고, 어떤 관계만이 아름답다고 정의되곤 한다. 그 정의를 흔들어 작은 미동을 만들고자 글을 썼다면 조금 거창할까. 그래도 기꺼이 말하고 싶다. 당신의 모순과 나의 모순이 만나 서로 얼마나 엉망인지 알아주며 더 나은 관계(세계)를 만들 기회가 우리에게 있다고. 서로의 모순을 다정하게 비웃으며, 누군가 소외되지 않길 바라는 마음, 책임지려는 마음, 헌신하는 마음, 살리고 싶은 마음. 그 마음으로 살아가면 좋겠다고. 그래서 정말 어려운 이 말을 용기 내어 다시 적는다.

　　"우리, 함께 흔들려요. 꼭 자유해요."

　　2022년 초겨울, 승은

노라   내게는 다른, 그만큼이나
        거룩한 의무도 있어요.
헬메르 아니, 없어. 대체 무슨 의무지?
노라   나 자신에 대한 책임이에요.
헬메르   당신은 우선적으로
        아내이며 어머니야.
노라   그 말은 더 이상 믿지 않아요.
나는 내가 우선적으로 당신과
        마찬가지로 인간이라고
        믿어요. 최소한, 그렇게
        되려고 노력할 거예요.

헨리크 입센, 『인형의 집』(민음사, 2010)

001

"다들 이름이나 닉네임이 어떻게 되시나요?"

기혼 여성들의 글방에 간 날, 대화를 나누다가 내가 물었다. 한 분이 자신의 이름을 말하며 조금 멋쩍은 표정으로 덧붙였다. "이름으로 부르진 않고 그냥 누구 엄마, 이렇게 불렀어요. 오랫동안 ○○이 엄마로만 불리다 보니 오히려 제 이름이 어색했는데, 이름을 물어봐 주시니까 그것만으로도 기분이 좋네요."

나는 누구의 엄마가 아닌 이름이나 닉네임으로 서로 부르면 어떻겠냐고 물었다. 내 말에 모두 반달눈을 하고 답했다. "좋아요!" "그럼 나는 내 이름으로 불릴래." "나는 이름이 마음에 안 들어. 닉네임을 '왕'으로 정할까. 여기서라도 왕으로 불리고 싶어." "그럼 나는 공주?" 웅성웅성하는 말과 웃음소리 틈에서 나도 함께 웃었다.

일상에서 우리는 다양한 역할 옷을 입는다. 가족 관계나 직업, 환경에 따라 이름표를 달고 살아간다. 이름표는 한 사람의 입체적인 면을 담기엔 작은 그릇이어서, 존재에게 자주 무례해진다. 글쓰기는 역할 옷이나 이름표 같은 단선적인 정보를 벗고 적극적으로 여러 모습의 나와 관계 맺는 일이다. 함께 쓰는 일은 상대의 정보가 아닌 그가 들려주는 서사와 관계 맺는 일. 글 수업 첫 시간이면 이 부분을 꼼꼼하게 공지하며 적어도 이곳에서는 서로를 고유하게 부르기로 약속한다.

그날 오후 우리는 '매일 아침 내가 하는 일'을 주제로 글을 썼다. 일상에서 나를 소외하지 않으려고, 나부터 나를 제대로 호명하기 위해, 서로를 소외하지 않기 위해 사소하지 않은 각자의 일상에 귀 기울였다. 오늘도 글방이 열리는 광진구의 왕과 공주, 여러 이름을 가진 동료들은 글을 나누고 있을 거다. 서로의 이름을 불러 주면서, 이름 너머 이야기에 귀 기울이면서.

그녀는 받기보다는 아무에게나
주기를 좋아했다. 글쓰기도 남에게
주는 하나의 방식이 아닐까.

아니 에르노, 『한 여자』(열린책들, 2012)

글방 수강생의 절반 이상은 기혼 여성이다. 성실하게 과제를 제출하는 그들을 볼 때, 나도 모르게 탄성이 나오는 순간이 있다. 글 속 그녀들은 돌봄과 가사 노동으로 꽉 찬 하루를 보낸다. 가족들이 잠든 새벽, 식탁 귀퉁이를 책상 삼아 풀리는 눈꺼풀에 힘주며 꾹꾹 눌러 글을 쓴다. 그렇게 쓴 글이 내 앞에 있다. 돌봄과 가사 노동으로 하루가 숨 가쁘게 지나가는 기혼 여성에게 버지니아 울프가 말한 "자기만의 방"은 어떻게 가능할까.

그녀들이 놓인 현실의 면적을 떠올리면, 살림이 밉고 돌봄이 밉고 여성이 놓인 자리가 전부 미워진다. 한때 나는 살림을 구속이라 믿었다. 여성을 집 안에 가두지 말고, 어디든 떠날 자유를 달라! 이 외침은 얼핏 정당하지만, 모든 순간의 답이 될 수는 없다. 살림이 그 자체로 구속은 아니다. 나와 다른 존재를 살리는 일이 어떻게 구속일 수 있을까. 다만 특정 성별에게만 살림을 강요하는 관습과 고도의 전문적인 일인 가사와 돌봄을 하찮게 평가하는 사회의 시선이 구속이었을 뿐이다.

요즘 살림 재미에 푹 빠진 반려인 칼리는 다양한 비건 요리를 만든다. "오늘은 비트 주스를 만들었어. 색이 너무 예쁘지." "오늘은 셀러리와 바나나, 두부를 갈아 볼까?" 칼리는 훗날 자기가 되고 싶은 모습을 상상하며 빙그레 웃는다. "언니, 나는 이웃에게 나눠 줄 빵을 구우면서 글을 쓰는 할머니가 되고 싶어."

빵과 글을 나누는 마음. 먹이고 입히고 씻기는 마음을 생각한다. 나와 당신을 돌보는 노동이 희생이 아닌 서로를 살리는 방식이라는 사실을 믿을 수 있는 미래면 좋겠다. 미래에서 나는 다정한 칼리 할머니가 만든 빵을 나눠 먹고, 그릇을 깨끗하게 설거지하는 할머니가 될 거다. 단정하게 정돈된 테이블 앞에 앉아 다른 이들이 나눠 준 이야기를 맛있게 읽는 상상을 한다.

외로워질 때에야 그녀가
누군가와 어떻게 연결되어 있는지,
어떤 연결은 불길하고 어떤 연결은
미더운지에 대해 신중해질 수
있다. 안 보이는 연결에서 든든함을
발견하고 어깨를 펴기 시작한다.

김소연, 『사랑에는 사랑이 없다』(문학과지성사, 2019)

기분에 따라 찾는 몇 군데 장소 목록이 있다. 스트레스가 턱 끝까지 차오르면 노래방에 가고, 불안이 올라올 때면 집에서 20분 거리에 있는 북한산의 오래된 카페를 찾는다. 써야 할 글을 더 이상 미루면 안 된다는 위기의식을 느끼면 테이블이 넓은 집 앞 카페에 간다. 책방은 그런 장소 목록 중 가장 오래된 공간이다. 아침에 눈 뜨는 것조차 버거울 때, 설명하지 못하는 부대낌이 있을 때, 외로울 때 그리고 외롭고 싶을 때 책방을 찾는다.

목적이 뚜렷할 때는 책방에서도 걸음이 빨라진다. 뉴스에서 수만 마리의 오리 살처분 소식을 들은 날에는 하루 종일 동물권 코너 서가에 앉아서 그동안 애써 외면해 왔던 불편한 글자들을 읽었다. 엄마의 알코올 중독이 하루하루 심해지던 시기에는 책 등에 '알코올'만 적혀 있으면 모두 뽑아서 펼쳤다. 여성으로 사는 게 거추장스럽고 힘들게 느껴지던 여러 날에는 페미니즘 코너에서 붙박이장처럼 앉아 있었다.

그런 날이 아니라면 책방에서 내 걸음은 평소보다 느린 편이다. 더욱더 느려지고 싶어서 핸드폰을 비행기 모드로 바꾸기도 한다. 눈앞에 요리책 코너의 서가가 보이면 다양한 레시피와 향신료를 탐구한다. 건축물에 깃든 철학을 읽고, 실제로는 보는 것도 무서워하는 곤충책도 집어서 읽는다. 시집 더미에서 끌리는 제목을 뽑아서 읽고, 오래된 소설의 첫 문장을 읽는다. 저자 소개를 읽으며 이 사람은 어떤 마음으로 글을 썼을지 가늠해 보기도 한다.

그 시간을 통해 나는 외로움 속에서 관계 맺는 법을 배운다. 온종일 머리채를 잡고 흔들어 대는 정보와 거리를 두면 머리가 차분해진다. 단절된 고요 속에서 현재진행형의 관계를 다르게 볼 여유도 생긴다. 그렇게 한참을 서성이면 쪼그라들었던 어깨가 서서히 펴진다.

저로서는 공상이나 상상을 진짜처럼
쓴 작품도 좋아하지만, 한편으로
깊고 섬세한 관찰력으로 진짜 인간을
그린 소설도 읽고 싶습니다. 거짓을
말하는 소설은 읽고 싶지 않습니다.

요사노 아키코 외, 『슬픈 인간』(봄날의책, 2017)

도도가 입을 떼면 주위가 고요해진다. 도도의 렌즈를 통과한 세상 이야기가 궁금해서 나는 자리를 바짝 당겨 앉는다. 너는 어떤 사람에게 끌리냐는 내 질문에 도도는 부드럽고 낮은 목소리로 말했다. "나는 태도가 몸에 밴 사람. 그리고 들려줄 이야기가 많은 몸에게 끌려. 나는 말보다 몸을 믿어. 그간 말이나 글만 번지르르한 사람을 만나면서 지친 것 같아. 가치관 같은 마음의 방향성도 중요하지만, 몸에 남은 흔적들이 더 진실하게 느껴져."

도도는 상대가 어떤 상황에서 목소리의 옥타브가 달라지는지와 같은 말의 습관이 궁금하다고 했다. 손가락의 굳은살을 더듬으며 어떤 일을 해 왔는지 가늠하고, 얼굴의 주름을 보며 그 사람이 어떤 표정을 자주 지었을지 상상하는 과정을 신뢰와 사랑이라고 불렀다.

말과 글이 아닌 몸을 믿는다는 말. 주름이나 흉터, 질병 없이 깨끗한 몸만이 정상이라고 말하는 표백된 몸의 세계에서 얼룩진 몸에 귀 기울이는 도도의 태도가 인상 깊었다. 도도와 대화를 나눈 그날 이후, 나도 관찰을 시작했다. 첫 대상은 나였다. 나는 주로 어떤 표정을 짓고, 어느 순간에 목소리의 옥타브가 올라가지?

내 몸도 여러 개의 이야기 덩어리로 보였다. 내 아랫입술에는 5밀리미터쯤 되는 하얀 흉터가 있다. 초등학교 6학년 때 다이어트하겠다고 3일간 굶다가 목욕탕에서 쓰러지면서 바닥에 찧은 흔적이다. 유치원 때부터 매일 일기를 쓰면서 오른쪽 엄지손가락 첫 마디에 굳은살이 생겼고, 20대부터 집필 노동을 하면서 거북목으로 인한 두통과 손목 통증을 달고 산다.

도도의 곁에서 나는 도도처럼 보는 법을 배운다. 조금 더 배운다면 한 사람을 스쳐 간 다양한 맥락을 읽어낼 수 있을 것만 같다. 찬찬히 볼 수 있다면 쉽게 미워하는 마음도 작아지리라는 바람으로.

23

대화는 친구들이랑 합니다.
이해도 친구들이랑 합니다.

정세랑, 『시선으로부터,』(문학동네, 2020)

"성공적인 결혼의 필수 요소는 뭘까요?" 질문을 받은 심시선은 폭력성이나 비틀린 구석이 없는 상대와의 좋은 섹스라고 답한다. 폭력적이지 않은 건 기본이 아니냐고 되묻자, 기본을 갖춘 사람이 오히려 드물다고 답한다. 남편과의 대화는 어떻게 생각하느냐는 물음에 시선은 말한다. "아이, 남편들이랑 무슨 대화를 해요? 그네들은 렌즈가 하나 빠졌어. 세상을 우리처럼 못 봐요. … 대화는 친구들이랑 합니다."

『시선으로부터,』의 주인공 심시선은 내 마음속 단짝이자 멘토다. 페미니즘 강연에서 듣는 단골 질문이 있다. "제 남편과 이 부분에서 말이 안 통해요. 어떻게 소통할 수 있을까요?" 페미니즘 책을 식탁에 올려놨는데 남편이 지금 나랑 싸우자는 거냐고 따져서 한바탕 다툼이 벌어졌다는 이야기, 성폭력 생존자의 증언집을 읽고 있는데 지나가던 남편이 "그 여자 사기꾼이잖아. 왜 그런 책을 봐?"라고 따져서 상처 받았다는 이야기(그 책을 읽으며 자신이 겪은 성폭력을 재해석하던 그녀는 절망감을 느꼈다)……

초기에 나는 단호했다. "헤어지세요." 지금도 심정은 그때와 비슷하지만, 최선의 답변은 아니라는 걸 이제는 안다. 할 수 있었다면 진작 이별을 택했을 테니까. "이런 자리에도 함께 오고, 책도 함께 읽으면 어떨까요?" 조심스레 제안한 뒤, 대화도 이해도 친구들과 하자는 시선의 말을 빌려 그녀에게 말한다. "노력해도 통하지 않고 헤어질 여건도 안 된다면 스스로 관계를 재정의하면 어떨까요? 저희 엄마도 대화는 친구와 나누는 게 훨씬 재미있다면서 아빠와는 경제 공동체라고 말하거든요. 남편이나 원가족과 모든 면에서 잘 통하길 바라는 것도 어쩌면 주입된 관계의 이상향 때문은 아닐까 생각해요. 이 자리에 있는 우리 같은 관계를 꼭 가까이 두시길 바라요."

성소수자들은 어디에나 있습니다.
그런데 만약 당신이 거주하거나
일하는 공간에서 누군가
커밍아웃하는 사람이 없다면, 그곳은
아마도 성소수자들에게 무척이나
차별적인 공간일 것입니다.

인권운동사랑방, 『수신확인, 차별이 내게로 왔다』
(오월의봄, 2013)

오래전, 콩나물국밥을 앞에 두고 재이와 대화하던 어느 오후. 갑자기 재이가 숟가락을 내려놓더니 나를 바라봤다. "언니, 사실 저 여자를 좋아해요." 순간 머릿속이 바빠졌다. 어떤 말을 꺼내야 재이가 안심할까. 내 표정과 눈빛, 대답까지의 시간. 모든 게 조심스러워서 말을 고르고 고르다가 "그렇구나. 재이, 국밥 참 맛있죠?"라고 답했다.

그날로부터 10년이 지났다. 재이와 나는 여전히 국밥을 앞에 두고 시시콜콜한 대화를 나눈다. 재이의 애인과 나는 재이를 앞에 두고 재이를 칭찬하거나 험담하며 논다. 그날의 내 반응을 도마 위에 올려놓고 깔깔대기도 한다. "언니, 그때 왜 갑자기 국밥 얘기를 한 거예요." "그러게요. 어이없었죠?" "아니에요. 그럴 수 있죠. 저 아는 사람은 커밍아웃하니까 상대가 갑자기 날씨 얘기를 꺼냈대요. 날씨 좋지?"

재이에게 나는 세 번째 커밍아웃 상대였다. 재이는 커밍아웃이 평생의 과업 같다고 말했다. 상대가 믿을 수 있는 사람인지, 아웃팅할 사람은 아닌지 가늠하면서 고르고 골라 자기를 소개할 일이 앞으로 얼마나 더 남아 있을지 모르겠다고 했다.

언젠가 한 독서모임에서 누군가 "제 주위에는 성소수자가 없는데요?"라며 성소수자는 말 그대로 '소수'여서 드문 것 아니냐고 물었던 적이 있다. 그때 나는 되물었다. "정말 없을까요?" 성소수자는 어디에나 있다. 소수자로 살아가는 일은 "안녕하세요. 저는 무엇입니다"라는 일상적인 대화 앞에서 망설이게 되는 일, 눈치와 반응을 살피며 홀로 분주한 일이다. 나는 안전한 수신자가 되고 싶어서 부지런히 마음의 자세를 살핀다. 내가 속한 사회가 모두에게 안전한 공간이 되길 바라는 마음으로 무지개가 떠 있는 곳으로 향한다. 다채로운 존재가 공존하는 무지개 색의 세계를 꿈꾸며.

나는 이제 누가 칭찬하지
않아도 앞으로 나아갈 수
있을 것이라는 느낌이 든다.

버지니아 울프, 『어느 작가의 일기』(이후, 2009)

"못생긴 꼴페미의 한풀이." 동료 작가 이응이 보낸 이미지에는 이응이 쓴 글에 달린 악플이 있었다. 이응은 익숙하다며 웃었고 나도 따라 웃었지만, 우리는 괜찮지 않았다. 아무리 각오해도 이런 상황은 괜찮아질 리 없으니까.

글을 쓸 때 자주 듣는 조언이 있다. "길에서 마주친 아무에게 당신의 글을 보여 줘도 그가 알아들을 수 있도록 쓰세요." 누가 읽어도 메시지가 전달되도록 쉽고 명확하게 쓰라는 의미다. 그런데 글쓰기에 도움을 준 이 문장이 엉뚱한 지점에서 문득 두렵게 느껴질 때가 있다. 길에서 마주친 아무, 그야말로 '불특정한 누군가'가 내가 여성이라거나 페미니스트라는 이유만으로 내 글을 욕할지도 모른다는 생각이 들 때이다. 실제로 글에 담긴 메시지와 상관없이 외모를 평가하는 댓글과 비난은 물론, 무작정 날아오는 욕설을 일방적으로 받는 일은 비일비재하다.

악플 하나를 상쇄하기 위해서는 백배 넘는 응원이 필요하다는 말을 들었다. 아플 때마다 상처를 상쇄할 지지의 말을 찾아 읽지만, 나쁜 말은 기어코 마음에 둥둥 떠오른다. 내 글을 믿어 주는 마음보다 미워하는 마음에 신경이 쏠리면 나를 닫고 싶은 충동이 인다.

1922년 7월 26일, 버지니아 울프는 이런 일기를 썼다. "내 마음속에서 자기 자신의 목소리로 무엇인가 말하는 방법을 (나이 사십이 되어) 찾아냈다는 사실을 믿어 의심치 않는다. 이 사실이 내게 아주 소중하므로, 나는 이제 누가 칭찬하지 않아도 앞으로 나아갈 수 있을 것이라는 느낌이 든다." 변명하거나 후퇴하지 않고 나를 표현해도 괜찮을까. 언젠가 나도 울프처럼 느낄 수 있을까. 100년 전 자기 자신을 활짝 열어 손 내밀어 준 울프에게 기대어 나는 오늘 글을 썼다.

내가 사랑하는 것이 나를
죽일 수 있다는, 나를 무너뜨릴 수
있다는, 예기치 못한 파도로 나를
익사시키겠다고 위협할 수 있다는
진실을 체득하게 되었다. 아울러
내가 나에게 상처 주는 것으로부터
살아남을 수 있다는 걸 알게 된 곳
역시 이곳이었다. 나는 그 어떤
위험에도 다시 일어나 파도를 향해
뛰고 또 뛰는 나의 능력을 믿었다.

테리 템페스트 윌리엄스, 『빈 일기』(낮은산, 2022)

영화 『세 자매』에는 어릴 적 가정폭력을 경험한 세 자매가 나온다. 그들은 과거의 상흔을 안은 채 현재를 살아간다. 영화를 보는 동안 진은영 시인의 시 「가족」이 떠올랐다. 그토록 빛나고 아름다운 꽃이 집에만 가면 다 죽는다던 그 시. 그 시를 처음 읽었던 몇 년 전에는 안도할 구석이 있었다. 집에서 나오기만 하면 나는 다시 빛날 수 있을 거라 믿었으니까.

영화는 내 안도감을 비웃으며 말한다. '집에서 시들었던 그 꽃은 이전과 같은 모습일 수 없습니다. 당신은 앞으로도 어딘가 찌그러진 모양으로 살아갈 거고, 이미 많은 우리는 그렇게 살아가고 있습니다. 두려워했던 아빠의 눈빛을 닮아 가면서, 엄마의 한숨과 같은 숨을 뱉으면서, 둘 사이에 흐르던 공허한 기류를 몸에 감싼 채로 말입니다.'

나는 화날 때 엄마의 표정이 된다. 우울할 때 아빠의 목소리가 된다. 벗어나고 싶었던 모습을 닮아갈 수밖에 없다는 말이 가혹하게 느껴졌다. 가족에게 상처 받은 영혼은 구원이 불가능한 건가요?

영화의 마지막 장면에 바닷가가 나온다. 어린 시절 아버지의 강요로 어른들 앞에서 장기자랑을 했던 그 장소에서 성인이 된 세 자매는 다른 모습으로 서 있다. "나 옛날 사진 싫어. 우리 다시 찍자." 셋은 같은 장소에서 다른 모습으로 사진을 찍는다. 편안한 미소로 서로를 꼭 껴안은 채. 그 장면은 마치 이렇게 말하는 것 같았다.

'과거와 단절되긴 어려워도 우리에겐 지금이 있어요. 매일 하루씩 새롭게 살아갈 수 있어요.'

사랑하는 것들과 결을 맞추는 연습,
그리고 얻어온 것들의 본래 자리를
기억하려는 노력.

은유, 『싸울 때마다 투명해진다』(서해문집, 2016)

어린 시절 우주는 자기 방이 없었다. 작은 공간에 네 식구가 다닥다닥 붙어 지내면서 우주는 크면 결혼도 안 하고 혼자만의 공간을 가지리라 다짐했다. 지민은 자기 방이 있었지만, 문틈으로 새는 부모님의 다툼과 한숨을 들으며 밤잠을 설치는 날이 많았다. 지민은 소음 없는 고요한 공간을 꿈꾸며 스무 살에 집을 나왔다. 칼리는 집이 싫어 이십 대 내내 발길이 닿는 곳으로 여행을 다녔다. 칼리에게 집은 억압의 상징이었다. 나에게도 집은 가시방석 같은 공간이었다. 밤마다 일기장에 솜이불처럼 안전하고 포근한 집을 그렸다.

삼십 대가 된 우주와 지민과 칼리와 나는 서로의 반려인이 되었다. 반려견 넷과 반려식물 넷, 반려인간 넷. 총 열두 생물이 함께 산다. 함께 산 지 벌써 8년째인데, 아직도 우주는 깜짝 놀랄 때가 있다고 한다. '나 왜 이렇게 대가족과 살고 있지? 혼자를 꿈꿨는데, 지금은 왜 괜찮은 거지?' 네 사람은 머리를 맞대고 우리가 함께여도 괜찮은 이유를 찾으려 고민했다.

이유는 간단했다. 여백 지키기. 함께 잘 살기 위해서 우리는 각자의 시공간을 존중하려고 노력한다. 가령, 함께 책방에 가는 날이면 몇 시까지 책방 카운터에서 만나기로 약속해 놓고 각자 책방 산책을 즐긴다. 사회 문제 신간이나 시집 코너를 돌아다니다가 익숙한 등을 발견하면 반가워서 툭 치고 지나갈 때도 있지만, 대부분은 집중하고 있는 상대의 옆을 가만히 지나친다. 이 시간은 따로 또 함께 살기를 지향하는 우리에게 '따로'를 존중하는 시간이니까.

'우리'라는 말로 뭉뚱그리지 않고 고유하게 불러주기. 다른 결을 가진 우리는 서로를 온전히 이해할 수 없을 테지만, 서로의 역사와 소망에 귀 기울이면서 공존하는 법을 배워 나간다. 가까운 거리에서 눈물을 닦아 주거나 함께 웃으면서.

오로지 나만이 나를 할퀼 수 있는
시간이 있지요. 내가 나의 적이죠.
그때는 무한히 표피적인, 무한히
얕은… 그래서 저는 열심히 내가
들은 것, 내가 읽은 것을 생각해야
해요. 내 일상의 경험과 마음속,
그 사이에 뭔가가 끼어들게 해야 해요.

정혜윤, 『마술 라디오』(한겨레출판사, 2014)

마음이 가라앉는 날, 오래된 뮤직플레이 리스트에서 김사월의 『달아』를 재생한다. "슬픈 생각이 지겨워. (…) 스스로를 미워하며 살아가는 것은 너무 달아. 그걸 끊을 수 없다면 어떻게 살아가야 하는 걸까."

나는 나와 관계 맺는 일이 가장 어렵다. 말이나 행동에 습관이 있는 것처럼 생각과 기분에도 습관이 있다. 내 안에서 습관처럼 반복되는 마음은 불안과 자기 의심이다.

아침마다 노트를 펼쳐 매일 두 가지씩 감사 일기를 쓴다. 이틀 전에는 "노트북이 무사히 켜져서 감사하다. 바닥이 따뜻해서 감사하다"고 썼다. 그마저 쓸 수 없을 정도로 기분이 가라앉는 날이면 가만히 누워서 천장을 바라본다. 어제가 그런 날이었다. 먼지 쌓인 상자를 꺼내 낡은 편지 뭉텅이에 손을 넣어 잡히는 대로 읽었다. 보라색을 좋아하는 친구 가피의 편지였다.

"어느 날, 갑자기 알게 되었어요. 나에 대한 나쁜 소문을 퍼뜨리는 목소리가 내 안에 있다는 걸요. 범인도 나, 공범자도 나, 피해자도 나였어요. 가혹한 혼잣말. 이것밖에 못 하니? 이래서 되겠니? 더 열심히, 더 완벽하게, 더 그럴듯하게, 더, 더, 더… 그래서 아무도 뭐라 하지 않았는데도 늘 화가 나 있고 불안하고 초조했나 봐요. 이걸 깨닫고 정말 눈물이 많이 났어요. 다른 사람에게는 그럴 수도 있지, 괜찮아, 하며 잘도 말하지만 정작 나 자신에게는 말해 준 적 없었다는 게. 참 웃기고 슬프죠? 저는 이제 혼잣말의 내용을 바꿨어요. 그럴 수도 있지, 괜찮아. 요즘은 우울의 늪에 빠져도 저 스스로 걸어 올라올 힘이 생기는 것 같아요. 제가 언니를 사랑하는 만큼 언니도 언니 자신을 많이 사랑해 주세요. -어느 봄. 가피가"

편지를 읽은 뒤, 나는 이불을 탁탁 털고 일어나 정성스럽게 몸을 씻었다. 그렇게 불안을 털어 냈다.

세계에는 설명할 수 없는 헤어짐이
훨씬 더 많다는 걸 말이에요.

정한아, 『친밀한 이방인』(문학동네, 2017)

바람난 남편은 집을 나가고, 어머니는 죽고, 준비하던 책 작업은 엎어졌다. 파리의 고등학교 철학 교사인 나탈리에게 불현듯 닥친 일들이다. 나탈리를 걱정하는 제자 앞에서 그녀는 비로소 자유로워졌다고 말하지만, 뒤돌아 자주 운다. 가족들과 매년 찾았던 바닷가 별장, 어머니의 장례를 치른 뒤 버스 타고 돌아가는 길, 혼자인 어느 낮과 밤에 서럽게 운다. 그 모든 일에 이유가 없다는 사실에 나탈리는 더 서러워진다.

혼자 집으로 돌아오는 버스에서 서럽게 울던 나탈리는 버스 창밖으로 남편과 그의 애인이 팔짱을 끼고 걸어가는 모습을 본다. 그 순간 그녀는 웃는다. 남편의 빈자리를 슬퍼할 새도 없이, 그녀는 자신이 아끼던 책을 가져간 그에게 분노를 느낀다. 남편과 함께 살 때 항상 꽂혀 있던 꽃다발을 쓰레기통에 처넣어 버리지만, 제자들이 선물한 꽃다발이 어느새 집을 채운다. 감정이 하나로 흐르지 않듯 다가오는 것들도 하나의 선처럼 흐르지 않는다. 동시다발적으로 복합적인 사건과 감정이 침투한다.

최근 나는 예상하지 못한 갈등과 이별에 마음이 뒤집혔다. 한참 울다가 문득 본 가을밤 달이 영롱해서 감탄했고, 또 속상해 울다가 칼리의 막춤을 보고 웃었다. 나탈리처럼, 나도 매번 인과관계가 뚜렷하지 않은 엉망진창인 일상을 살아간다. 사는 게 다 비슷한걸. 내 마음 같지 않은 타자와 의지에 상관없이 엮이고 헤어지는 게 살아가는 일인걸. 영화 『다가오는 것들』은 내 인생 영화 중 하나다. 나탈리와 함께라면, 다가오는 상실과 만남을 기꺼이 맞이할 수 있을 것 같다.

이성애자가 아니고 결혼을
하지 않아도 다양한 가족을
구성할 수 있음을, 자살하지 않고
살면 내게도 밝은 미래가 있다는
것을, 나와 같은 사람이 있고
나와 같은 사람과 연대하는 사람도
있고, 그게 선생이나 부모나
친구일 수도 있다는 것을.

김현 외 9명, 『페미니스트 선생님이 필요해』(동녘, 2017)

낡은 일기장을 펼치면 욕이 가득하다. 종이가 찢어질 정도로 꾹 꾹 눌러쓴 욕을 보고 있으면 누가 볼까 얼굴이 화끈거린다. 당시 내 분노는 부모님, 선생님, 학교, 세상을 향해 있다. 엄청나게 화가 나 있는데, 이유는 적혀 있지 않다. "세상이 싫다. 내가 죽으면 당신들은 후회할까." 매번 일기장을 버리고 말리라 다짐했지만, 내 일부를 부정하는 것 같아 지금까지 버리지 못했다. 차마 마주하기 부끄러웠던 열다섯 나의 분노는 책상 아래 마음 깊숙한 곳에서 잊혔다.

성적이 유일한 관심사여야 하는 학생의 자리가 맞지 않고, 되고 싶은 게 없고, 사회성 좋은 친구 역할도 못 해내고, 고분고분한 딸이지 못 했던 나. 모든 게 어긋나는데 어긋나는 이유를 몰라 답답한 마음이 압력밥솥처럼 차올랐다. 나는 나를 지키기 위해 욕하고 욕하며 욕을 썼다. 부모님과 선생님이 유일한 어른의 모습이었던 그때 다른 삶의 가능성은 상상조차 할 수 없었으니까. 가만히 있으라는 선생님의 말과 냉각된 교실 분위기에 마음이 뒤틀릴 때 내 뒤틀린 마음을 알아줄 사람이 없었으니까. 나는 듣고 싶었다. 네 잘못이 아니야. 충분히 다르게 살아도 괜찮아.

언젠가 대안학교에 강연을 다녀온 뒤 메시지를 받았다. "제가 대안학교에 온 이유는 자유로운 사람들을 만나고 싶어서였어요. 선생님은 제가 학교에 다니면서 만난 사람 중에 가장 자유로운 사람이에요." 그 시절 내게 절실했던 존재가 된 것 같아 설레어 잠을 설쳤다. 다른 삶의 가능성을 위해서는 다양한 마주침이 필요하다. 체념하지 않도록, 타인에게 분노를 돌리지 않도록, 투명한 분노가 좋은 질문으로 이어질 수 있도록. 뾰족하게 각진 학교에서 자신의 자리를 찾아 헤매는 학생들에게 나는 울퉁불퉁한 자유를 건네고 싶다.

엄마는 내가 제일 처음
떠나 온 주소입니다

유진목, 『연애의 책』 「반송」(삼인, 2016)

모르는 번호로 전화가 온다. 엄마겠지, 생각하고 전화를 받으면 역시 엄마다. 오늘은 또 얼마나 마셨어? 내가 물으면 엄마는 "쪼~끔밖에 안 먹었어. 쏘주 일병!"이라며 웃는다. 나는 술에 취하지 않은 목소리보다 술에 취한 엄마의 목소리가 더 익숙하다. 몇 년 전만 해도 엄마의 전화를 받으면 술 좀 그만 마시라고 타박했는데, 요즘은 대화 내용이 달라졌다. 엄마, 안주는 잘 챙겨 먹지? 술만 먹으면 간에 무리 돼. 엄마의 레퍼토리는 한결같다. 승은아, 지금도 글 쓰는 중이야? 자랑스러운 우리 딸. 미안해. 수화기 너머 엄마의 말을 들을 때마다 울컥하는 내 마음도 여전하다.

"언니네 엄마는 결혼하면 안 되는 팔자였어. 원래는 간호사나 작가가 돼서 사람들을 도우면서 살아야 했는데, 팔자에도 없는 애를 낳아 버린 거야. 그 업보를 언니랑 언니 동생이 물려받은 거지 뭐." 언젠가 무속인에게 들었던 말이다. 내가 태어나지 말았어야 했다는 그 말을 흘려듣지 못했다. 자주 해 온 생각이었기 때문이다. 내가 없었다면, 지금쯤 엄마는 무엇이 되어 있을까?

글을 쓸 때마다 엄마의 얼굴을 떠올린다. 엄마의 그림자를 밟고 지금의 내가 있다는 사실을 자각한다. 자주 상상했다. 만약 내가 없었더라면 엄마가 글을 쓰고 있을지도 모른다는 상상, 엄마의 글에는 사랑이 가득했을 거라는 상상. 만약 엄마에게 결혼이 아니라 다른 선택지가 있었다면 어땠을까 하는 상상도 한다.

엄마는 지금의 내가 타인의 그림자를 밟고 산다는 걸 깨닫게 해 주는 나의 오랜 그림자다. 그 그림자를 앞에 두고 책임과 외면 사이에서 갈팡질팡한다. 엄마와 딸, 끈끈하게 붙어 버린 관계 앞에서 매번 넘어져 뒹군다.

다시 엄마에게 전화가 온다.

구겨진 신문지 같은 나에게도
애정이란 것이 있다면, 그것을
어딘가에 준 적이 있다면, 그것은
모두 나를 스쳐 간 동물들에게서
배운 것이라고 말하고 싶다. 그들이
아니었다면 나는 있는 모습 그대로
무언가를, 누군가를 사랑한다는 것,
조건과 대가 없이 사랑하는 것을
일평생 알지 못했을 것이다.

김현진, 『동물애정생활』(루아크, 2017)

'달이, 참새, 부엉이, 커리.' 멍멍이 넷과 생활한 지 7년. 아침에 일어나자마자 가장 먼저 멍멍이들과 인사하고, 밤새 싸 놓은 오줌 똥을 치우고, 물과 사료를 보충하고, 발톱과 털을 관리한다. 온종일 졸졸 쫓아오는 녀석들을 귀찮아하다가 내가 더 신나서 같이 놀고, 산책하러 나간다. 앞발과 엉덩이의 구수한 냄새를 맡으며 마음을 정화하고, 눈을 마주 보며 교감한다. 길가를 떠도는 개와 고양이가 눈에 들어오기 시작한 것도, 소와 돼지와 닭의 생애에 관심 갖게 된 것도, 나아가 비거니즘을 실천하게 된 것도 큰 변화 중하나다. 인간 중심의 좁은 시선이 멍멍이와의 동거를 통해 확장되었다. 이만하면 변화가 아니라 변태가 더 정확한 말이겠다.

처음 멍멍이와 함께 살겠다고 마음먹었던 순간을 기억한다. 사는 일이 지치고 힘겨워 모든 걸 포기하고 싶던 시기였다. 우연히 들른 공간에서 하얀 털, 까만 눈을 가진 달이를 만났다. 달이는 내 무릎에 풀썩 앉아 고요한 눈빛으로 나를 응시했다. 그 눈빛이 나를 어루만져 주는 것 같았다. 지금도 내가 우울한 표정을 짓거나 엉엉 울 때면 참새와 부엉이가 쪼르르 달려와 내 얼굴을 핥는다. 내 울음을 가장 먼저 알아차려 주는 건 이들이다.

조건 없는 애정을 받으면서 나는 사랑을 배웠다. 인간 동물은 사랑에도 조건이 붙는다는 사실을 체화하며 자라기 때문에 자신을 포함해 다른 이를 사랑하고 돌보는 일에도 서툴다. 수많은 동물 관련 서적이 동물에게 사랑을 배웠다는 간증집인 건 아마 같은 이유 때문일 거다.

인간보다 평균 수명이 훨씬 짧은 멍멍이들을 영원처럼 바라본다. 우리의 사랑은 영원을 기약하기 어려운 얇은 유리막 같다. 연약한 만큼 소중해서, 연약한 생명체가 만나 서로를 핥고 돌보는 지금을, 이 사랑을 오래 살아 내고 싶다.

쌍둥이들이 자신들을 각자 다른
사람으로 정의하고 떨어지는 것은
어렵고도 복잡한 일로,
리베카와 나는 그 섬세한 개별화의
춤의 안무를 오랫동안 종종
무의식적으로 함께 짜 왔다.

캐럴라인 냅, 『명랑한 은둔자』(바다출판사, 2020)

하늘색 레이스가 달린 사진첩을 펼치면 눈사람같이 작고 동그란 내가 보인다. 사진첩을 한 장씩 넘길 때마다 내 몸은 점점 길어지고, 앨범의 중간부터 내 옆에 또 다른 눈사람이 등장한다. 두 살터울의 칼리다. 앞니가 빠진 채 활짝 웃는 사진, 같은 초등학교 체육복을 입고 베란다에서 웃는 사진. 사진으로 봐도 나와 칼리는 참 다르다. 성격도 달랐다. 나는 또래에 비해 몸집이 크고 조용했다면, 칼리는 또래에 비해 작았지만 당찬 성격이었다.

서른이 넘은 지금까지 뒤엉키며 함께한 칼리와 나의 관계에는 미묘한 긴장과 한없는 애정이 섞여 있다. 핏줄은 개인의 고유성을 간편하게 삭제하는 마법이어서 사람들에게 언제나 나는 '칼리의 언니', 칼리는 '승은의 동생'이었다. 그런 시선 탓에 어린 시절부터 우리 둘 사이에는 아슬아슬한 긴장감이 있었다. 비교 대상이 되지 않으려고, 종속되지 않으며 고유성을 인정받으려고 거리를 둔 적도 있었다. 부모님이 다투던 밤이면 이불 속에서 벌벌 떨며 손을 맞잡았던 우리는 살아가며 예기치 못한 굴곡(부모님의 이혼, 탈학교, 실연 등)을 겪을 때마다 손을 꼭 잡고 서로를 지탱했다.

칼리와 나에게는 분명한 자기만의 색이 있다. 사소하게는 칼리는 산을 좋아하고, 나는 바다를 좋아한다. 기꺼이 교집합이 된 색도 있다. 칼리와 나는 세상을 보는 렌즈가 비슷하고, 둘 다 글을 쓴다. 나에게 칼리는 말과 글과 삶을 공유하는 든든한 동료이다. 가끔 사람들에게 우애 좋은 홍자매, 작가 홍자매라고 불릴 때면 나는 우리가 가족이라는 걸 낯설게 실감한다.

그럴 때마다 두 가지 기도를 한다. '핏줄의 마법을 풀고 우리를 개별적인 존재로 인식하게 해 주세요.' '아, 마음 맞는 동료를 아주 가까운 곳에 떨어뜨려 주셔서 감사합니다.'

외할머니에게도 엄마는 막내,
엄마에게 나도 막내다. 할머니는
엄마를 늘 걱정하셨다. 엄마도 나를
그렇게 걱정한다. 나는 엄마가
걱정되는데 말이다. 하긴 엄마는
할머니를 가장 걱정한다. 돌고 도는
걱정의 고리 같다.

홍승희, 『엄마는 인도에서 아난다라고 불렸다』(봄름, 2020)

"걱정하지 말고, 믿어 주면 안 돼?" 20대 초반, 동생 칼리에게 처음으로 이 말을 들었을 때, 나는 서운한 내색을 숨기기 어려웠다. "나는 널 믿지 못하는 게 아니야. 걱정은 사랑의 또 다른 방식이라고 생각해. 내가 널 믿지 못한다고 생각해? 그렇게 생각한다니 내가 더 서운해."

　나는 소위 K-장녀로 태어나고 길러지면서 대부분의 관계에서 책임지고 돌보는 역할을 맡았다. 다섯 살 때부터 두 살 터울인 동생을 잘 돌보라는 당부를 들었다. 엄마와 아빠가 이혼하던 날, 엄마는 열다섯 살이었던 내 손을 꼭 붙잡고 말했다. "승은아, 칼리 꼭 잘 챙겨 줘." 나는 엄마에게 알았다고 말했다. 그 뒤로 칼리의 손을 놓지 않고 어디든 함께 다녔다. 그 습관이 깊이 새겨졌던 거다. 그래서인가. 마치 품을 떠나려는 자식에게 부모가 느낀다는 서운함을 나는 칼리에게서 느꼈는데, 그건 어딘가 이상했다. 칼리는 언제부턴가 내 말이 전부 잔소리 같아서 청개구리처럼 행동하게 된다고 고백했다.

　내 감정을 가피에게 하소연한 적이 있다. 나와 마찬가지로 장녀인 가피는 말했다. "언니, 저도 공감해요. 저는 이제 동생들을 걱정하지 않으려고 의식적으로 노력해요. 제 삶을 가장 걱정하고 신경 쓰는 건 누구보다 자기 자신일 거예요. 언니도 걱정을 내려놓고 믿어 주면 어때요? 오히려 언니를 돌보는 데 마음을 더 쓰면 좋겠어요." 그 말에 오랫동안 내 몫이라고 믿어 왔던 책임감을 내려놓고 가피 앞에서 마음껏 울었다.

　사랑의 회로를 걱정과 통제가 아닌, 믿음으로 연결하기. 나는 오랫동안 학습한 감정과 책임의 굴레를 벗어나는 중이다.

수많은 여성들이 수년 동안 선택의
갈림길에 서 있었던 반면, 남성
정치가들은 자신의 일을 하면서
햄스터처럼 늘어나기만 했다. 그리고
이를 알아챈 사람은 아무도 없었다.

애너벨 그랩, 『아내 가뭄』(동양북스, 2016)

몇 해 전, 반려인 우주에게 가사 노동 불평등을 다룬 책 『아내 가뭄』을 선물 받았다. 우주는 '남자는 집안일에 무능력한 편'이라는 나의 오랜 편견을 깨 준 사람이다. 함께 사는 이가 부지런할 때 다른 사람이 게으를 권력을 누릴 수 있다는 걸 깨닫게 해 준 사람이기도 하다. 몇 달 전부터 살림을 게을리했던 나에게 우주가 조심스레 건넨 책은 백 마디 말보다 효과가 있었다. 책에 실린 평화학자 정희진의 해제처럼, "인간성과 정치의식의 가장 정확한 바로미터는 '집안일'에 대한 관점과 실천이다."

책을 읽은 뒤부터 내 몸이 달라졌다. 내 게으름은 누군가의 노동을 밟고 있다는 평범한 진리를 알게 된 거다. 가사노동의 불균형은 여성이 특별히 부지런하고 집안일을 잘해서가 아니라, 단지 다른 한쪽이 게으를 수 있는 권력을 쥐었기 때문이라는 걸 느끼게 된 계기이기도 했다.

여전히 가사 노동은 특정 성별에 치우친 역할로 여겨진다. 많은 여성이 일과 가정 중 하나를 '선택'해야 한다는 압박을 느끼고, 선택하지 않으면 이중노동을 감내해야 하는 현실이다.

몇 해 전, 한 인문학자는 책이 나온 뒤 진행한 인터뷰에서 "왜 저서에 여성 철학자는 한 명밖에 없느냐"는 질문에 "페미니즘이 수준 미달이기 때문"이라고 답했다. 게으를 수 있는 권력을 누리는 존재의 대답은 무척 간편했다.

왜 여성 위인은 나오지 않는가? 이 질문에 『아내 가뭄』의 저자 애너벨 그랩은 답한다.

"수많은 여성들이 수년 동안 선택의 갈림길에 서 있었던 반면, 남성 정치가들은 자신의 일을 하면서 햄스터처럼 늘어나기만 했다. 그리고 이를 알아챈 사람은 아무도 없었다."

자기혐오를 자긍심으로 바꾸는 일은
근본적인 저항 행위다.

일라이 클레어, 『망명과 자긍심』(현실문화, 2022)

처음 수치가 나를 찾아온 날은 초등학교 4학년 체육 시간이었다. 달리기를 하고 자리로 돌아온 나에게 선생님이 말했다. "승은아, 이제 브래지어 해야겠다." 선생님의 시선이 향한 곳은 내 가슴이었다. 학교가 끝나고 바로 브래지어를 샀다. 가슴에 땀띠가 나거나 끈이 명치를 압박해도 매일 브래지어를 입었다.

초등학교 6학년, 버스를 타고 학교 가는 길에 생리가 샜다. 축축한 느낌에 손을 대 보니 바지에 피가 흥건히 번져 있었다. 나는 가방으로 엉덩이를 잽싸게 가리고 버스에서 내려 택시를 타고 집으로 갔다. 버스에 탄 많은 사람이 내 피를 봤을 거라는 생각에 부끄러워서 학교에 갈 수 없었다.

내 몸은 언제나 백지여야 했다. 나는 가슴을 숨기고, 월경혈을 숨기고, 내 몸에서 일어나는 일을 지웠다. 아무리 노력해도 수치는 어김없이 나를 두드렸다. 섹스 후 "뭐야, 피가 안 나오네? 처녀가 아니었어?"라는 말을 들을 때, "넌 왜 몸에 털이 있어? 여자들은 털이 없지 않나?"라는 말을 들을 때, 나는 반사적으로 몸을 웅크렸다.

어느 여름, 한때 사랑했던 사람이 내게 말했다. "너는 다른 여자들처럼 더러워지면 안 돼." 다시 수치심이 찾아왔다. 익숙하게 숨으려던 그때 의심이 들었다. 내가 왜 숨어야 해? 내 몸에서 수치심을 떠나보내고 싶어. 더는 너희의 말을 듣지 않을래. 아이러니하게도 그에게 협박 같은 조언을 들은 그날 오후, 나는 내 안에 자리 잡았던 수치와 정면으로 마주했다. '브래지어를 하지 않아도, 월경혈이 새도, 털이 나도, 누구와 섹스해도 나는 나를 부끄럽게 여기고 싶지 않아.' 나는 그와 헤어지며 동시에 내 오랜 수치에도 작별을 고했다. 오랫동안 나를 숨게 했던 수치야, 이제 떠나 줘.

내 인생의 비극들이 장애가 아니라
그저 흔한 실망과 환멸, 상실
— 애인, 놓친 일자리, 가까운 사람의
죽음 등 — 과 더 관계가 있다는 것을
어떻게 너에게 이해시킬 수 있을까?
불가능한 일일지도 모르겠다.
나를 그냥 용감한 타자로 생각하렴.
그렇게 생각하니 내가 눈물이
나려 한다.

해럴린 루소, 『나를 대단하다고 하지 마라』(책세상, 2015)

"저는 세상 사람이 장애인 같으면 좋겠어요. 장애인들은 순수하고 때 묻지 않았잖아요. 그러면 세상이 바뀔 텐데…." 독서 모임에서 만난 그는 정의감에 고양돼서 눈물을 글썽이며 말했다. 나는 말했다. "음, 장애인도 비장애인도 모두 복잡한 존재잖아요. 장애인을 뭉뚱그려 하나의 덩어리로 보는 게 상대를 정말 존중하는 건지 고민해 볼 필요가 있어요." 청년은 알았다는 듯 두어 번 고개를 끄덕이더니 이후 모임에 나오지 않았다. 갑작스러운 청년의 부재보다 그가 남긴 묘한 열기가 가슴 언저리에 맴돌았다. 뜨거운 열정에 가려진 서늘한 시선. 나는 그 온도차가 불편했다.

"나를 대단하다고 하지 마라." 뇌병변 장애인 페미니스트 해릴린 루소의 책 제목이다. 해릴린은 태어날 때부터 "걸음걸이나 표정이 우스꽝스럽고, 몸의 일부가 자신의 마음대로 움직여지지 않는" 불편함이 있었지만, 그뿐이다. 그녀에게는 사랑하는 이들이 있고, 섹스를 나누는 애인이 있다. 그녀는 강의를 다니고 그림과 글로 자신을 표현하길 즐긴다. 그녀는 조용한 일상을 보내고 싶지만, 그 일은 간단하지 않다. 그냥 길에 있기만 해도 어디선가 이런 말이 날아온다. "정말 대단하세요! 나라면 집 밖으로 못 나왔을 거예요."

그녀가 겪는 불편함의 중심에는 존재의 단순화가 있다. 우리는 모두 하나로 설명되지 않는 다채로운 존재지만, 어떤 조건을 가지면 복잡성을 부정당하기도 한다. 장애인이라는 이유로, 가난하다는 이유로, 성소수자라는 이유로 입체성이 지워지고 동정과 멸시, 신성화의 대상이 된다. 한 사람은 한 세계다. 혹시 그 세계를 쉽게 예측하고 판단하진 않았나? 내 앞의 그는 단순한 정보가 아니라 나처럼 복잡한 존재라는 사실을 잊지 않았나? 이 질문에서부터 관계 맺음이 시작된다고 믿는다.

좁고 긴 길 위를 걷다 보면 다양한
사람들의 작은 이야기가 그곳에
흐르고 있는 것 같다. 셀 수 없는 그
길의 수보다 셀 수 없이 많은 사람의
삶이 그곳에 있을 것이다. 때로는
발견하기도, 만나기도, 관찰하기도,
엿듣기도 하면서 길을 걷는다.

이내 외 4명, 『우리는 밤마다 이야기가 되겠지』
(이후진프레스, 2021)

매일 아침 7시에서 8시 사이에 집 앞 공원으로 반려견 참새와 산책하러 나간다. 그렇게 계절이 몇 번 흐르다 보니 공원 친구들이 생겼다. 특히 반려견 보호자들과는 가볍게 인사를 나누거나 여러 정보를 공유하기도 한다. 예방접종은 했어요? 슬개골 수술은 받았나요? 어느 병원이 좋아요? 마주치기만 하면 공격적으로 짖어서 무조건 피해야 하는 도기와 도도한 걸음으로 산책을 즐기는 포포. 산책하면서 만난 이웃들 덕분에 이 동네를 나는 '우리 동네'라고 부를 수 있게 되었다.

그중 별이와 별이 할머니가 있다. 등이 굽은 할머니는 작고 하얀 별이를 봄, 여름, 가을, 겨울 내내 유아차에 태우고 다녔다. 지나며 인사를 하다 보니, 어느 날부턴가 할머니도 나를 알아보았다. "어유, 마스크를 써도 목소리만 들어도 알아보겠어."

얼마 전부터 별이 할머니의 유아차가 비어 있는 모습을 보았다. 나는 조금 짐작하면서도 걱정되어 할머니에게 다가갔다.

"안녕하세요! 할머니, 요즘은 별이가 안 보이네요?"

"아이고, 별이를 기억해요? 별이는 하늘에 갔어요. 집 안에서는 똥도 안 싸고 착하고 예쁜 애였는데….."

할머니도 나도 잠시 침묵했다. 마스크 안으로 습한 기운이 올라왔다. 나는 할머니에게 별이는 정말 사랑스럽고 예쁜 개였다고, 오래 기억할 거라고 말했다. 나와 함께 있던 참새를 한참 바라보던 할머니는 헤어지기 전 말했다. "별이를 기억해 줘서 고마워요. 정말 고마워요."

고맙다는 말. 떨리는 목소리가 기억에 남아 나는 산책할 때마다 별이를 떠올리려고 애쓴다. 할머니와 별이의 여유로운 산책길을 기억하는 일이 내가 할 수 있는 애도이고 애정이라는 마음으로.

이야기하는 아픈 사람들이
많아질수록, 아픈 저자가 많아질수록,
아픈 이야기를 나누는 아픈 사람의
공동체도 넓어질 것이다.
아픈 이야기로 연결된 우리, 질병과
아픔이라는 이야기 안에서 함께
숨 쉬는 우리는 외롭지 않을 것이다.

안희제, 『난치의 상상력』(동녘, 2020)

나와 칼리는 엄마에게 농담처럼 말하곤 했다. "엄마는 건강하면서, 왜 골골대는 남자를 만나서 우리를 고생시켜?" 아빠가 겪은 갑상선 기능항진증을 칼리도 겪었고, 아빠가 겪은 천식을 나와 칼리도 갖고 있다. 아빠네 집안은 대대로 위장이 약하고, 우리 둘 다 그렇다. 아빠의 피부질환도 마찬가지다. 아플 때마다 아픈 아빠와 그런 아빠를 선택한 엄마를 미워했다.

엄마의 엄마는 97세까지 쌩쌩하게 살다가 돌아가셨다. 할머니를 닮아 엄마도 건강하다. 가족 사이에서 엄마의 별명은 오뚜기 같은 히어로 '울버린'이다. 그래서일까. 엄마는 아픈 상태를 잘 이해하지 못한다. 내가 아플 때면 "기침은 참으면 되지. 자꾸 아프다고 하니까 아픈 거야. 안 아프다고 생각하면 돼. 예수님은 손에 못도 박히셨…" 이런 얘기를 늘어놓곤 한다.

칼리가 갑상선 기능항진증에 걸렸을 때, 가까이에서 조언을 아끼지 않은 건 아빠였다. 최근 재발한 피부 질환 때문에 힘들다는 내 말에 아빠는 말했다. "나도 동네 병원 다녀봤는데, 뭐든 큰 병원에서 최신 장비로 해 봐야 낫더라. 당장 예약해!" 나는 아빠 말을 따라 바로 대학 병원에 예약했다.

아침에 칼리와 병원 가는 길에 아빠 얘기를 하면서 "참 달갑지 않은 동맹이다. 이거야말로 병 주고 약 주는 거 아니야?"라며 웃었지만, 사실 먼저 아파 본 골골 선배 아빠가 있어 든든했다. 조직 검사한다고 피부를 쨀 때, 고통을 느끼면서 아빠 생각을 했다. 아빠도 이런 과정을 겪었겠구나.

새벽에 몸이 아파 잠을 설칠 때면 고통에 비례해 외로움이 찾아온다. 그럴 때면 나의 골골 동료들을 떠올린다. 아빠와 칼리, 같은 병을 앓는 사람들의 온라인 커뮤니티, 아픔을 이야기하는 저자들의 글을 곁에 바짝 당긴다. 그들과 함께라면 이 밤은 아파도 덜 외롭다.

울다가 잠든 네 모습을 한참 봤어.
아침이면 일어나고 싶은 생을
네가 살게 되기를 바랐어.

이슬아, 『너는 다시 태어나려고 기다리고 있어』(헤엄, 2019)

우울증 진단을 받은 지 4년. 정신과 문턱을 간신히 넘어 진단을 받기 전에도 나는 오랜 시간 우울했다. 입꼬리에 작은 힘도 주기 어려운 울증의 상태를 나는 잘 아는 편이다. 하지만 나는 내 우울에만 얼마간 전문가여서 곁에 있는 누군가 슬픈 표정을 지을 때면 어찌할 줄 모른다. 내 경험과 지식은 순식간에 백지가 된다.

며칠 전 새벽, 울음소리에 눈을 떴다. 우주가 내 왼팔을 붙잡고 흐느끼고 있었다. "우주, 무슨 일이야." 몇 번을 물어도 대답 없던 우주는 힘겹게 입을 뗐다. 모든 게 무의미해서 살고 싶지 않다는 우주의 말에 나는 가만히 그의 팔을 쓰다듬었다. 그렇게 팔을 쓰다듬는 동안 우리는 스르르 잠들었다. 다음 날 눈을 뜨자마자 책장에서 책 한 권을 뽑았다. 지금 내 언어는 텅 비었지만, 그의 슬픔을 나보다 잘 알아줄 문장을 들려주고 싶었다.

"너는 다시 태어나려고 기다리고 있어. 우리는 한 생에서도 몇 번이나 다시 태어날 수 있잖아. 좌절이랑 고통이 우리에게 믿을 수 없이 새로운 정체성을 주니까. 그러므로 기다리는 중이라고 말하고 싶었어. 다시 태어나려고, 잘살아 보려고, 너는 안간힘을 쓰고 있는지도 몰라. 그러느라 이렇게 맘이 아픈 것일지도 몰라. 오늘의 슬픔을 잊지 않은 채로 내일 다시 태어나 달라고 요청하고 싶었어."

사랑하는 사람이 힘겨운 밤을 보낼 때, 곁에서 그 모습을 지켜보던 이슬아 작가는 유진목 시인의 시집 『식물원』에 기대 그에게 이런 문장을 건넸다. 나는 조용히 문장을 낭독했다. 가만히 듣던 우주의 눈에서 눈물이 뚝 떨어졌다. 그는 고맙다며 손을 내밀었다. 너의 슬픔을 감싸 줄 문장이 있어서 다행이야. 타인의 아픔에 닿으려고 노력하는 마음들에 기대서 앞으로도 닿을 수 없는 너의 아픔을 꼭 안고 싶어.

파탄한 건 가정이 아니라 가부장제가
지어낸 이야기다. 그렇대도
그 이야기의 테두리 안에서 자라는
아이 대다수는, 다른 여느 사람과
마찬가지로, 대안이 될 이야기를
써가느라 힘겨운 싸움을 벌여야 한다.

데버라 리비, 『살림비용』(플레이타임, 2021)

갓 스물네 살이 된 와이와 수업에서 첫인사를 나눌 때, 나는 와이가 들려줄 이야기를 상상도 하지 못했다. 첫 글의 글감은 가족이었다. 와이는 청소년기에 집을 나와 스스로 꾸린 가족의 모습을 썼다. 정확하게 말하면, 와이는 원가족의 폭력에서 도망친 거였다. 집을 나온 와이는 가출한 여러 청소년과 공동체를 만든다. 여관과 쉼터를 전전하면서 서로를 돌본다. 가족을 지긋지긋하게 여기면서도, 가족 같은 품이 그리워 서로 역할을 정하기도 한다. "너는 아빠를 해. 나는 엄마 할게. 너는 장녀, 너는 망나니 이모가 어울릴 것 같아." 이런 대화를 하면서 와이와 친구들은 신나게 웃는다.

와이는 매번 예상치 못한 경험을 담담하게 들려줬고, 나는 와이가 살아온 이야기를 듣는 재미에 푹 빠졌다. 와이는 예리한 감각을 가진 합평가이기도 했다. 누군가 비정규직 노동자를 동정하는 표현을 썼을 때, 와이는 말했다. "제가 만약 글에 등장하는 노동자였다면 모멸감을 느꼈을 것 같아요. 그 부분을 수정해주시면 어떨까요? 동정하지 않고도 연대할 수 있으니까요." 와이의 따끔하고 따뜻한 말에 동료는 고맙다고 꼭 기억하겠다고 답했다. 와이는 종종 수업에 늦거나 말없이 빠지기도 했다. 한번은 아끼는 친구가 갑자기 사라져서 며칠 내내 찾아 헤매느라 정신이 없었다고 했다.

글이 끝나도 삶은 끝나지 않는다. 와이는 오늘도 주어진 하루를 살아가고 있을 거다. 그것을 감히 '대안'이라고 부르고 싶지 않다. 다만 어린 시절부터 세상의 경계, 이데올로기와의 결투장에 뚝 떨어져 자기만의 좌표를 찍으며 살아온 와이의 다음 페이지가 덜 힘겹기를 가만히 바라며, 나는 와이의 다음 페이지를 기다린다.

나와 그는 서로 잘 알지도 못하는데,
어쩌면 우리는 서로 아무것도
아닌 존재일 수 있었을 텐데, 단지
그 사람이 살아서 말하는 세상이라는
이유만으로 내가 살아지다니
정말 이상한 일이었다.

한유리, 『눈물에는 체력이 녹아 있어』(중앙북스, 2022)

긴 여행을 다녀온 연을 만난 오래전 가을. 유럽에서 가져온 조금 딱딱해진 마카롱을 앞에 두고 연이 말했다.

"주위 여성들을 보면 우울증, 조울증을 앓는 사람이 많잖아요. 많은 여성이 시스템과 싸우느라 타격 입고, 이성애자일 경우는 상대 남성에 대한 트라우마로 두 번 타격 받죠. 자본주의라는 요소도 있지만, 여성이어서 경험하는 세계와의 불화가 있고요. 이러니 온전하게 정신을 차리기가 정말 힘든 일 같아요. 예전에 저는 의학 따위 안 믿고 그냥 내 팔자려니 생각했거든요? 내 잘못도 아닌데 왜 내가 치료받아? 세상이 바뀌면 해결될 일이라고 생각했어요. 잠도 안 자고, 될 대로 되라는 식으로 방치했죠. 어느 순간 이대로는 안 되겠다는 생각이 들었어요. 그래서 병원에 갔어요. 지금은 2년째 꾸준히 정신과에서 상담하면서 조울증약을 처방받고 있어요. 신기한 건 정말 효과가 좋다는 거예요. 맞는 약을 찾는 과정이 힘들었지만, 이제는 내 텐션을 유지하면서 일상을 조절할 수 있어요. 말 그대로 신세계! 그래서 승은에게도 병원을 권하고 싶어요. 일단은 살아야 하니까요."

시스템과 불화하고 상처 받고, 상처가 내 잘못이 아니라는 걸 알지만 아프니까 주저앉는다. 상처와 분노와 무기력의 무한 굴레. 문득 오래전 한 여성 작가에게 들은 말이 떠올랐다. "우리, 오래 버텨요." 그날 밤, 작가와 연의 말이 머리에 둥둥 떠다녔다. 다음 날 정신과에 찾아갔다. 우울증과 공황 장애 진단을 받고 약을 처방 받았다. 4년이 지난 지금까지 나는 꼬박꼬박 약을 챙겨 먹는다. 절벽으로 밀려나지 말자고, 어떻게든 함께 살아 보자고 내미는 또 하나의 손이 되고 싶어서 나는, 우리는, 각자에게 주어진 오늘을 살아 낸다.

여름의 광물들을 어깨에 짊어지고
투명한 이끼를 밟으며
서로 땀을 닦아 줄 때에도 땀이 나는
이 온화한 노동을 끝내지 않으려고
우리는
서로가 되지 않기로 마음먹었다

서윤후, 『휴가저택』(아침달, 2018)

어린 시절 엄마가 흥얼대던 단골 노래에는 이런 가사가 있었다. "사랑은 나의 가장 귀한 것을 주는 거예요." 노래를 부르고 나면 엄마는 물었다. "사랑은 무얼 주는 거라고?" "나의 가장 귀한 거를 주는 거요!" 선물을 준비할 때마다 내게 가장 귀한 게 무엇일지 고민한 건 그때부터였을 거다. 마음을 꾹꾹 눌러 적은 편지, 천 개의 종이학, 상대에게 필요한 걸 고민하면서 모은 돈을 지출하는 마음. 나는 이런 것들을 주고받았다.

2년 전 특별한 선물을 받았다. 군데군데 밑줄이 그어져 있는 시집이었다. 누군가 읽은 흔적이 담긴 책은 처음이었기에 나는 그 책을 부적처럼 옆구리에 끼고 다녔다. 연필 자국 앞에서 잠시 멈추고, 나와 겹치는 부분에는 색연필로 밑줄을 그었다. 때로 새로운 문장에 밑줄을 긋기도 했다. 그 시집을 읽는 동안 나는 혼자가 아니었다. 엄마가 말한 귀한 게 무엇인지, 조금은 알 것 같았다.

그 뒤로 나도 흔적이 담긴 책을 선물했다. 얼마 전에는 고마운 이에게 손때 묻은 시집을 선물했는데, 이틀 뒤에 우편물이 도착했다. 도착한 시집의 맨 앞 장에는 편지가 적혀 있었다. "보던 책을 주고받은 적은 있어도 그 책에 밑줄이 그어져 있는 적은 없던 것 같아요. 승은이 밑줄 쳐 놓은 문장을 오래 들여다보았습니다. 그 마음들을 헤아리다 보니, 또 다른 시집이 되고 말았어요. 『휴가저택』은 바닷가에 앉아, 중얼대며, 심각한 말들을 하나씩 버리는 심정으로 읽었던 시집이에요. 그리고 문장 하나는 여전히 잊지 않고 있습니다. "아픈 사람들이 강해지는 밤이 온다.""

그의 밑줄은 물결 모양이었다. 그가 머물렀던 문장과 지나쳤던 문장에 하늘색 색연필로 밑줄을 그었다. 처음으로 우리의 밑줄이 겹쳐진 문장. "우리는 동시에 망가진다 / 그런 위안만 있어도 며칠은 견디기도 했다"

서로의 나인 당신,

이연주, 『이연주 시전집』 「사랑은 햇빛을 엑기스로 뽑아」
(최측의농간, 2016)

다큐멘터리 영화를 만드는 양주연 감독에게 메일을 받은 건 2021년 초봄 무렵이었다. 고요하게 잊힌 죽음에 관한 이야기를 따라가고 있다는 감독의 말에 흔쾌히 인터뷰에 응했다. 2019년 부터 준비해 2023년 개봉 예정인 영화 『양양』은 전화 한 통에서 시작되었다고 한다. 감독이 대학 졸업식을 앞둔 밤, 술에 취한 아버지는 뜬금없이 말했다. "너는 고모처럼 되지 마라." 이전까지 고모의 존재를 알지 못했던 감독은 무슨 소리냐고 묻지만, 아버지는 같은 말만 반복한다. 네 고모처럼 되지 마.

감독은 앨범에서 고모의 얼굴을 발견하고, 고모를 기억하는 친구와 이웃을 찾아가 인터뷰한다. 고모가 마지막으로 발견된 장소는 당시 만나던 애인의 집이었다. 고모 친구들은 그를 가해 자로 의심했지만, 가족들은 결혼하지 않은 딸이 남자 집에서 발 견되었다는 사실을 숨기려고 조용히 고모의 죽음을 덮었다. 감독은 고모의 죽음과 애도 받지 못한 긴 세월을 슬픈 눈으로 바라 보면서 고모를 서사로 되살리고자 분투하고 있었다.

나에게 출연을 요청한 건, 내게도 사라진 이모가 있기 때문이다. 혼전 임신 뒤 자살했다는 이모의 이름을 나는 아직도 알지 못한다. 이모의 죽음은 가족들 사이에서 금기였으니까. 인터뷰를 진행하던 중, 감독은 간절한 눈빛으로 내게 물었다. "고모에 대한 이야기를 하지 않고서는 다음 이야기를 할 수 없겠더라고 요. 이 작업을 하다 보면, 고모가 서사적 존재로 다시 살아날 수 있을까요?" 나는 미리 준비한 황혜경 시인의 『나는 적극적으로 과거가 된다』를 내밀며, 시집의 제목을 빌려 대답했다. "네, 인 터뷰하는 동안 이미 저는 이야기로 고모를 만났어요. 적극적으 로 과거로 들어가는 여정을 응원해요."

다른 질문을 하면
다른 답을 들을 수 있을 텐데.

희정, 『두 번째 글쓰기』(오월의봄, 2021)

조재와 엉망, 새싹이 우주에게 인터뷰를 제안한 건 5년 전 여름이었다. 춘천에 살던 세 사람이 두 시간 거리의 우리 집으로 찾아왔다. 인터뷰 주제는 결핍이었다. '없음'을 주제로 인터뷰하고, 기록하고, 독립출판물로 만드는 프로젝트였다. 엉망이 말했다. "제가 자주 듣는 팟캐스트에서 진행자가 결핍을 가진 사람에게 끌린다고 말하는 거예요. 그 말이 마음에 쏙 들어왔어요." 우리는 뭐가 없는 사람들이기 때문에. 돈도, 집도, 계획도, 대책도, 대부분이 없기에. 있는 사람의 이야기가 넘치는 세상에서 없는 사람들의 이야기를 기록하고 싶다고 했다.

우주가 인터뷰에 응하는 동안 나도 곁에 있었다. "당신이 처음 느낀 결핍은 무엇이었나요?" "당신은 타인의 어떤 결핍에 끌리나요?" 어떤 사람에게 끌리느냐는 말 대신, 어떤 결핍에 끌리느냐고 묻는 말을 곱씹었다. 낯선 질문만큼 낯선 대답이 나왔다. 질문 하나 비튼 것뿐인데 대화가 이렇게 달라질 수 있다니. 그때 느꼈다. 익숙한 질문을 반복하니까 관계도 익숙하게 느껴지고 생각도 뻣뻣해질 수밖에 없었구나. 함께 살며 잘 안다고 자부했던 우주가 낯설게 보였다.

오랜 시간 함께하다 보면 대화에도 패턴이 생긴다. 더는 새로울 게 없고, 나는 너를 안다고 믿어 버리는 오만함도 무럭무럭 자란다. 그날 인터뷰를 지켜보면서 생각했다. 만약 내가 먼저 다른 질문을 던진다면 대화도 달라지지 않을까. 다른 질문을 던져서 익숙한 틀을 벗어난다면, 우리는 매일 처음처럼 관계 맺을 수 있지 않을까. '없음'에 관한 이야기를 들으며, 내가 맺는 관계에서 정말 없던 것이 무엇인지를 생각했다.

네가 괜찮아야 내가 괜찮았다.
그래서 말인데, 한 사람과 끝나고도
나는 잘살아야 한다.
내가 괜찮아야 마찬가지로 괜찮을
이들이 아직 남아 있다.

김지승, 『짐승일기』(난다, 2022)

"살기 위해서, 그 집을 나오면 어때요?" 가끔씩, 나는 이 말을 꺼내게 된다. 집은 여러 얼굴을 하고 있다. 어린 시절부터 폭력을 가하는 부모의 얼굴, 경제력을 쥐고 숨통을 조이는 남편의 얼굴, 여자의 도리를 말하며 가사와 감정 노동을 동생에게 떠넘기는 오빠의 얼굴, 사랑해서 때린다고 말하는 애인의 얼굴.

내 앞에 도착한 고통스러운 사연 앞에서 나는 분리를 부탁할 수밖에 없다. 그러다가 '여성의 전화'나 '한국성폭력상담소'에 전화해 꼭 상담하길 권한다. 가족은 가장 안전한 울타리라고 으레 배워 왔기에, 사람들은 고통을 호소하면서도 폭력을 폭력으로 인정하지 못한다. 엄마도 아빠도 남편도 애인도 오빠도 알고 보면 다 불쌍한 사람이라고 말한다.

스무 살에 처음 집을 나오기로 마음먹고, 큰 가방에 내 옷을 하나씩 넣어 내 한 몸 누우면 가득 차는 원룸으로 옮겼던 첫 밤에 나는 껙껙대며 울었다. 화가 나면 나를 밀치며 위협하던 애인과 살던 집을 나온 날에도 울었다. 울음의 정체는 미묘했다. 나를 아프게 한 상대가 불쌍했고, 내가 가족과 애인을 버렸다는 생각에 눈물이 났다.

처음으로 악몽을 꾸지 않고 눈을 뜬 아침. 주위에 있는 단출한 살림살이와 누구도 침범하지 못하는 공간을 바라보았다. 아침 햇살을 느꼈다. 안도했다. 이제 안전하구나. 거리를 두고 보니 내가 머물렀던 자리가 선명하게 보였다. 그 속에서 나는 나를 포기하고 있었다. 더는 포기하지 않으려고, 당신도 자신을 포기하지 않길 바라며 나는 말한다. 어떤 분리는 안락의 시작이 될 거라고. 관계를 책임지는 방법은 무작정 옆을 지키는 것이 아니라 이별해서라도 폭력적인 관계를 끊어 내는 거라고. 그것은 또한 나 자신에 대한 책임이기도 하다고.

우리는 타인이라는 빈 곳을 더듬다가
지문이 다 닳는다

허은실, 『나는 잠깐 설웁다』 「더듬다」 (문학동네, 2017)

살아가는 일은 상실과 충격의 반복이라는 것을 알면서도 아직도, 그리고 앞으로도 나는 의연할 수 없을 거다. 중학교 동창이자 내 삶을 응원해 주던 케이가 호스피스 병동에 입원했다는 소식을 듣고 춘천으로 가던 길, 나는 내내 얼굴을 감싸고 울었다. 춘천에 도착했을 때 얼굴은 엉망이었다. 이런 모습으로 케이를 만날 수 없어서 바로 병원으로 향하지 않고 우리가 자주 가던 서점에 들러 발이 이끄는 대로 시집 코너 앞에 섰다. 『나는 잠깐 설웁다』. 제목만 보고 산 시집을 그 자리에서 허겁지겁 읽었다.

독한 항암치료로 빠짝 마른 케이 앞에서 울다 웃다 병실 문을 나오려는데, 케이가 말했다. "곧 남편이 전화할 거야. 전화 꼭 받아 줘." 그 말이 어떤 의미인지 알았으나 알고 싶지 않았다. 나는 대답 없이 미소만 짓고 춘천을 떠났다. 며칠 뒤, 나는 환하게 미소 짓는 케이의 사진 앞에서 고개를 숙였다. 예상했지만, 역시 괜찮지 않았다.

집에 돌아와 케이와 접촉했던 시간을 구석구석 기억해냈다. "너 눈이 느끼하게 생겼다"라며 처음 나에게 말 걸던 너. 내 부모님이 이혼한 날 자장면을 사 준 너. 내가 고등학교를 자퇴하던 날 나보다 더 울던 너. 네가 결혼하던 날 나를 꼭 껴안던 너. 내가 사과 알레르기가 있다는 걸 기억하고 병실에서도 "승은이한테는 사과주스 주지 마세요"라고 말하던 너. 나는 케이의 빈 곳을 더듬으며 며칠 밤을 보냈다. 나를 기억하던 케이가 사라진 자리에서 나는 무엇이 되어 있을까.

케이가 떠나고 4년이 지났다. 그날 춘천에서 산 연분홍 표지의 시집을 볼 때마다 케이를 떠올린다. "아무도 사라지는 것들에 대해 궁금해하지 않는다"라는 시구 앞에서 망설이다가 마음대로 문장을 이어 붙인다. 남겨진 이들은 결국 빈자리를 더듬게 된다고.

그녀가 알고 꿈꾸는 사랑은
구체적이었다. 막연한 낭만과
행복으로 점철되는 과정이 아니었다.
몸이 익힌 돌봄과 나눔과 책임의
감각을 믿었고 자신을 지지해 주는
주변의 힘을 믿었다.

이서희, 『구체적 사랑』(한겨레출판사, 2019)

몇 해 전 여름, 반려견 참새가 동물병원에 입원한 날. 집으로 가는 길에 지민과 나는 한동안 침묵했다. 적막을 깨고 지민이 입을 뗐다.

"무언가를 사랑하는 건, 구체적으로 알려는 노력 같아."

"맞아. 나는 왜 항문낭의 존재를 이제야 알았을까? 함께 산 세월이 얼만데, 너무 무지했다."

"이제라도 알았잖아. 우리가 앞으로 공부하고 잘 챙기면 돼."

"응, 꼭 그럴 거야. 내가 원하는 게 아니라 상대가 필요한 걸 적극적으로 돌볼 거야."

그날 오후 참새는 꼬리를 숨기고 몸을 떨고 있었다. 꼬리를 들어서 보니 항문 아래쪽에 피가 흐르고 있었다. 급히 찾은 병원에서 의사는 터진 항문낭을 제거하는 수술이 필요하다고 했다.

항문낭은 강아지의 배변 활동과 영역표시를 돕는 액체를 담은 작은 주머니이다. 주기적으로 항문낭 짜기를 해 주지 않으면 염증이 생기거나 심하면 파열될 수도 있단다. 참새가 아프고 나서야 나는 항문낭의 존재를, 항문낭을 주기적으로 돌봐야 한다는 사실을 알았다.

참새가 입원한 일주일 동안 시도 때도 없이 눈물이 나왔다. 내가 공황장애로 어지러움을 느낄 때마다 참새는 내 머리맡에 와서 눕거나 내 배를 타고 올라와 뽀뽀 세례를 퍼부었다. 참새를 쓰다듬는 동안 불안은 서서히 옅어졌다. 내 불안과 아픔을 잊게 해 주었던 참새가 아플 때 나는 어떤 도움이 될 수 있을까.

죄책감은 이제 그만. 주먹을 꽉 쥐었다. 책임지자. 구체적으로 사랑하자. 적극적으로 공부하자. 그날 이후 동물 관련 유튜브와 책을 찾아보며 '멍멍 건강 일기'를 만들어서 꼼꼼하게 기록하고 있다. 수만 번 개들의 눈을 마주 보며 사랑한다고 했던 내 말에 책임지기 위해서 나는 더 부지런해져야 한다.

오늘도 진료실 문이 열린다.
한 사람이 들어온다. 그 사람의 가장
아프고 힘든 시간이 걸어 들어온다.

추혜인, 『왕진 가방 속의 페미니즘』(심플라이프, 2020)

"이제 약을 끊어도 되겠어요." 지난 1년간 격주로 얼굴을 마주하던 정신과 선생님이 말했다. 내 우울증 자가진단표를 훑어보곤 상태가 많이 좋아졌으니 이제 오지 않아도 된다고 했다. 언젠가 약이 없어도 괜찮은 밤이 올 거라고 예상은 했지만, 막상 그날이 오늘이라니 실감 나지 않았다.

원목 인테리어로 단정하게 정리된 상담실에 들어가면, "어서 오세요, 승은 씨"라는 선생님의 목소리가 들렸다. 폭신한 의자에 앉으면 선생님은 의자만큼 포근한 미소를 지으며 물어보았다. "승은 씨, 지난 2주는 어떻게 보냈어요?" 그럼 나는 2주 동안 어떤 일이 있었고, 무엇 때문에 힘들었고, 어떤 부분은 점점 나아진다고 느끼는지 열심히 말했다. 선생님은 내 말을 끊거나 판단하지 않고 가만히 들어 주는 편이었다. 안부 인사와 경청. 어쩌면 별것도 아닌데, 진심으로 내 상태를 궁금해하고 염려하던 그 시간이 벌써 그리웠다.

선생님과 함께하는 10분의 짧은 시간을 기준 삼아 일상을 살아갈 힘을 얻었는데, 그 시간에서 독립하려니 덜컥 겁이 났다. 나 잘 지낼 수 있을까. 나를 소외하지 않는 의사를 만날 기회가 다시 올까. 내 날것의 고통을 있는 그대로 들어 주던 선생님의 얼굴을 기억하고 싶어서 나는 선생님의 눈을 계속 바라보았다. 아쉬운 마음으로 병원을 나서며 선생님이 당부한 말을 잊지 않으려 꼭꼭 곱씹었다.

"앞으로도 힘든 순간이 올 거예요. 그럴 때는 연습이 필요해요. 마음에 정원을 만드는 거죠. 힘들 때면 그 정원에서 쉬어야 해요. 그간 승은 씨 마음에 흙이 생겼을 거예요. 이제 그 흙을 승은 씨가 돌봐야 해요. 누군가 그 흙을 파내려고 하면, 그게 누구여도 꼭 거리를 유지해요. 잘 지내고 언젠가 만나요."

이상하지 않다고 증명해야 하거나
반대로 이상함을 증명해야 하는
관계에서는 멀리 도망가라고.
나에 대한 증거는 나뿐이니까
증명할 필요는 없다고.

임지은, 『연중무휴의 사랑』(사이드웨이, 2021)

나를 존중하는 사람보다 무시하는 사람에게 인정받고 싶었던 시절이 있다. 중학생 때 나는 학급에서 사회부장을 맡고 있었다. 사회 선생님은 나뿐 아니라 모든 학생에게 다정했다. 선생님은 방학 때 어느 나라를 여행했는지, 그곳에서 어떤 일이 벌어지는지, 학교 밖에 얼마나 큰 세상이 있는지 들려주곤 했다. 성적이 전부가 아니라는 말도 해 주었다.

과학 선생님은 모두를 미워하는 사람처럼 보였다. 매주 시험을 봤고, 틀린 개수만큼 회초리로 손등을 때렸다. 선생님의 단골 대사는 "정신 똑바로 차려 이것들아. 멍청해 가지고! 앞으로 뭐가 될래?" 같은 폭언이었다.

아이러니하게도 과학 선생님은 인기가 많았다. 내 경우도 과학보다 사회 과목을 좋아했지만, 정작 더 열심히 한 건 과학 공부였다. 단지 손등을 맞기 싫어서만은 아니었다. 이 정도밖에 못 하냐고 무시하는 그에게 인정받고 싶었다. 우리를 얕보며 무시하던 과학 선생님께 칭찬을 듣는다면, 왠지 특별한 사람이 될 것만 같았다. 반면 사회 선생님은 우리를 이미 존중하고 있으니 인정 욕구를 자극하지 않았다.

학교를 졸업한지 20년이 다 되어가는 지금, 나는 사회 선생님에게 들은 다정하고 다채로운 이야기를 종종 떠올린다. 내 안에는 선생님이 들려준 이야기가 고스란히 남아 있다. 자기 앞의 교복 입은 학생을 존중하는 이와 무시하는 이의 말 중 지금껏 살아 숨 쉬는 말은 당연히 전자의 말이다. '증명하지 않아도 너는 이미 충분한 존재'라는 사실을 알려 준 사회 선생님을 떠올리면, 나는 다짐하게 된다. 다정과 존중에 능숙한 사람이 되고 싶다고. 그리고 혹시 지금도 내가 엉뚱한 이에게 증명하려고 애쓰지는 않는지 돌아본다. 어떤 다정도 깎아내리지 않기 위해, 다정을 소중하게 여기는 법을 복습한다.

상대가 웃어 주지 않아도 그건
내 잘못이 아니다. 나는 그렇게
중요한 사람이 아니니까.

백은선, 『나는 내가 싫고 좋고 이상하고』(문학동네, 2021)

엄마가 출근할 때마다 나는 장난스럽게 말한다. "엄마, 동료들이랑 사이좋게 지내!" 엄마는 눈을 흘기며 말한다. "그게 쉽냐! 난 그 선생님이 너무 싫어." 열아홉 명의 동료 중에 엄마가 싫어하는 선생님은 두 명이다. 퇴근한 엄마는 오늘은 그 선생님의 어떤 점이 싫었는지 세세하게 말한다. 그러다가 한숨을 쉰다. "아휴, 어떻게 모두랑 사이좋게 지내겠어."

과거의 엄마는 내가 등교할 때마다 친구들이랑 사이좋게 지내라고 당부했다. 초등학교 3학년 때까지 나는 반에서 천사로 불렸다. 착하다고 칭찬할 만한 일은 전부 도맡았기 때문이다. 나는 두루두루 친하고 인기 있는 친구가 되고 싶어서 필사적이었다. 수업에 필요한 준비물도 친구들에게 빌려줘서 선생님에게 대신 혼나는 역할을 자처할 정도였다. 그런데 같은 반 애가 내 앞에서 작은 목소리로 "난 네가 싫어"라고 말한 적이 있다. 궁금했다. 나는 최선을 다해 착하고 있는데, 왜 미워해? 속으로 계속 물었지만, 직접 물을 자신은 없었다. 이유가 정당해도, 정당하지 않아도 상처 받을 것 같았으니까. 그때부터 나도 그 애를 미워하기로 했다.

학년이 바뀔 때마다 나는 엄마의 말이 불가능하다는 사실을 깨달았다. 모든 친구와 사이좋게 지내라는 엄마의 미션은 너무 어려운 요구였다. 개중에는 나를 미워하는 아이도 있었고, 나도 미워지는 아이가 있었다. 각기 다른 역사를 가진 아이들이 작은 공간에 갇혀 지루한 수업을 꾸역꾸역 참다 보면 아주 사소한 이유로도 서로를 미워할 수 있었다.

서른이 넘은 지금의 나는 친구가 별로 없다. 이 사실이 부끄럽지 않다. '천사' 이름표 집착도 조금씩 벗고 있다. 모두에게 사랑받을 필요가 없고, 그건 그리 중요한 일이 아니며, 불가능하다는 사실을 이제는 아니까.

비록 학생들에게 카리스마 넘치는
역할 모델이나 근사한 멘토가
되어 주지는 못할지라도 내가 지닌
모종의 빈틈 덕분에 타인의 그것을
세심하게 알아차리고 보듬어 줄 수는
있을 거라고.

이소영, 『별것 아닌 선의』(어크로스, 2021)

친구들과 둘러앉아 각자가 가진 관계의 콤플렉스를 공유했다. 수영은 언제부턴가 자신의 선의를 당연하게 여기고 필요할 때만 찾는 관계에 지쳤다며 적당히 다정하고 싶다고 했다. 먼지는 좋아하는 상대에게 적극적으로 다가가지 못하고 낯가리는 자기가 싫다고 했다. 이제 내 차례. "나는 만만이 콤플렉스가 있어. 내가 너무 만만해 보여서 사람들이 만만하게 보고 내 말을 신뢰하지 않을 것 같아 걱정돼." 내 말에 모두가 격하게 고개를 끄덕였다. 비슷한 고민을 해 오던 수영은 일부러 적절한 거리감을 유지하려고 애쓴다고 했다. "너무 가까워지면 내 빈틈을 보고 태도가 바뀌는 게 무서워." 나도 알 것 같은 마음이었다. 특히 빈틈을 노릴 것처럼 보이는 상대 앞에서는 일부러 덜 웃고 말을 줄이고 거리를 두는 식으로 방어하기도 했다.

어느 날, 나는 놀라운 자기소개를 들었다. 일산에서 작은 책방을 운영하는 탱은 첫 만남에 "저는 만만하고 허술한 탱입니다"라며 방긋 웃었다. 그런 탱의 모습이 만만해 보이기는커녕, 너무 멋있어 보여서 감탄하고 말았다.

만만해 보이고 싶지 않은 마음을 들여다보면, 존중받고 싶은 마음이 보인다. 시장에서 파는 운동화를 신었다는 이유로 놀림받았던 학창 시절, 적절히 화내지 못하고 잘 웃는다는 이유로 함부로 대해졌던 경험, 젊은 여성이라는 이유로 혹은 다른 여러 이유로 무시당했던 지난 경험이 스친다. 그런 이유로 나를 만만하게 보는 상대라면 내가 어떤 표정이나 태도를 보여도 비슷한 핀계였을 깃이디.

상처 때문에 방어하는 태도로 관계 맺고 싶지 않아 탱의 말을 빌려 조용히 주문을 외운다. '저는 만만하고 허술해요. 서로의 빈틈과 여린 부분을 보살피며 관계 맺고 싶어요.'

그러나 사실 나도 돌봄 받고 싶었다.
나도 챙김 받고 싶었다.

정신적 장애인을 형제자매로 둔 청년들의 모임 '나는',
『나는, 어떤 비장애형제들의 이야기』(피치마켓, 2018)

매일 열 문장씩 글을 쓰는 온라인 글방을 열었다. 그날의 글감은 '돌봄'이었다. 밤이 되자 스무 개의 글이 올라왔다. 암에 걸린 아버지를 돌보는 스무 살 장녀, 치매인 어머니와 함께 사는 50대 비혼 여성, 독박 가사노동과 육아에 지친 기혼 여성. 분명 돌봄을 받았던 기억과 돌봐 주었던 기억을 글감으로 제시했는데, 이야기는 대부분 돌볼 수밖에 없던 이야기로 흘렀다.

기혼 여성으로 구성된 글방에 갔던 날, 한 분이 미리 쓴 글을 발표했다. 글 속 그녀는 평생 누군가를 돌보며 살아왔다. 아버지 밥상을 차리던 손, 엄마의 일손을 돕던 손, 남편 밥상을 차리던 손, 아이들 기저귀 갈고 아프다는 배를 어루만지던 손. 제 손의 역사를 쭉 훑던 그녀는 마지막에 "나도 너무 돌봄 받고 싶다"고 썼다. 평생 돌보던 손을 잠시 멈추고 다른 손길을 느끼고 싶다고 고백했다.

정신적 장애인을 형제자매로 둔 청년들의 모임 '나는'에서 엮은 책에는 돌봄에 관한 복잡한 마음이 담겨 있다. 책 속에서 겨울은 말한다. "저의 정체성은 '장애가 있는 동생을 잘 돌보는 언니'였거든요. 그 외에는 나를 설명할 수 있는 말을 모르기도 했고, (…) 동생 이야기를 하지 않으니 저 자신에 대해 말을 할 게 없더라고요." 그의 슬픔과 분노는 장애가 있는 동생으로 향하지 않는다. 장애를 장애로 만드는 사회적 차별과 가족에게 모든 돌봄을 떠넘기는 시스템으로 향한다. 아픔과 돌봄이 짐이나 고통이 되지 않으려면 어떻게 해야 할까. 돌봄 받고 싶다는 말은 상대를 돌보지 않겠다거나, 사랑하지 않는다는 말과 같지 않다. 그 말을 꺼내기까지 너무 큰 용기가 필요했을 어떤 마음을 생각하면 가슴이 뻐근해진다.

식물과 함께한다는 건 나 역시
식물에게 '반려인간'이 되는 일이자,
때로는 내가 식물이 되는 일이다.

안희제, 『식물의 시간』(오월의봄, 2021)

영천의 한 글방에 초대받았다. 오전 10시부터 다섯 시간 동안 함께 글을 썼다. 틈틈이 쉬는 시간을 갖는 동안, 사람들은 서로 마음을 열고 대화를 나누었다. "온은 식물 병원을 만들어서 아픈 식물을 돌본대요!" 여름이 말했다. "식물 병원이요?" 식물과 병원의 조합이 낯설었다. 쉬는 시간마다 곳곳에서 고해성사와 질문이 이어졌다. "저는 식물을 엄청 죽였어요. 잘 키우는 방법이 있을까요?" "시든 잎도 다시 살아날 수 있나요?" 그때마다 온은 차분하게 답했다. "식물마다 물을 주는 주기나 필요한 환경이 달라요. 그 차이를 알면 잎이 시들거나 쓰러져 가는 식물을 살릴 수 있어요." 온은 같은 종류의 식물도 다 같지 않아서, 차이를 알아채고 돌봐야 한다고 말했다.

나에게도 함께 사는 식물이 있다. 지금 사는 집으로 이사할 때 만난 6년 지기 녹보수, 3년 지기 홍콩야자와 몬스테라, 테이블야자까지, 총 네 식구다. 녹보수와 홍콩야자, 몬스테라는 흙이 마를 때마다 물을 준다. 테이블야자는 매일 아침 화병 물을 갈아준다. 이들을 돌보고 잎을 닦다 보면 어느새 새순이 돋는 걸 볼 수 있다. 그런 순간마다 식물도 나와 함께 살아가는 생명이라는 걸 생생하게 느낀다.

반면 미안한 기억도 많다. 예쁘다고 들였다가 방치해서 먼지 쌓인 채 죽인 식물들. 그때 나에게 식물은 예쁜 장식 같은 거였다. 집 안의 생생한 초록은 나에게 고요한 생명력을 선물했는데, 내가 식물의 반려인이라는 인식은 없었다. 모든 관계가 그렇듯 식물에도 각각에 맞는 부지런한 관심과 노력이 필요하다는 걸, 식물은 인테리어가 아닌 생명이라는 걸 깨닫기까지 너무 오래 걸렸다. 혹시 우리 집 초록이들이 아프면 나는 꼭 온의 식물 병원에 데려갈 거다.

가장 따뜻한 곳, 편안한 곳,
머물고 싶은 곳.
그렇게 우리는 함께, 그리고 따로
사는 서로 선택한 가족이 되었다.

『삼』2호, 서런「함께 그리고 따로 삶을 선택한 우리」
(삼프레스, 2019)

현관문을 열자 꽃다발을 든 강훈이 서 있다. 강훈은 우주의 두 살 터울 동생이다. 삼십 대 후반인 강훈은 부모님과 한집에 산다. 휴가 때면 부모님과 이탈리아와 페루 등 다양한 나라로 여행을 다닌다. 강훈과 만나서 제대로 대화하기 전에 우주와 나는 이런 이야기를 나누곤 했다. "강훈은 진짜 대단해. 어떻게 부모님과 함께 살지? 나는 상상만으로도 힘든데." "그러게. 나도 신기해. 야근을 자주 해서 부딪칠 일이 없어서 그런가?"

일정 나이가 지나면 원가족과는 거리를 두는 편이 서로에게 좋을 거로 생각했던 나는 막연하게 강훈이 우주를 대신해 고생한다고 짐작했다. 강훈과 식사하며 처음으로 진솔한 대화를 나누던 저녁, 나는 물었다. "강훈은 부모님과 사는 거 괜찮아요? 여행도 자주 다니고." 강훈은 잔잔히 답했다. "저는 부모님과 사는 게 좋아요. 생활 루틴이나 여행 스타일이 잘 맞아요. 예전에 친구들하고 여행 간 적이 있는데, 서로가 너무 달라서 힘들었어요. 저는 박물관이나 오래된 유적지를 좋아하거든요. 계획도 유동적으로, 밥도 눈에 띄는 가까운 곳으로 가서 먹고요. 이런 부분이 부모님과 참 잘 맞아요. 형이 승은, 칼리, 지민 님과 잘 맞아서 함께 살 듯요."

예상치 못한 대답 앞에서 조금 부끄러웠다. '응당'이라는 말을 싫어하면서, 서른이 넘은 자식이 부모와 함께 사는 이유는 응당 경제적 사정이거나 어쩔 수 없는 사연이 있는 거로 믿어 왔다. 친밀감을 느끼고, 생활을 조율하며 살아갈 수 있는 관계라면 얼마든지 함께 살 수 있다는 사실을 잊고 있었다. 아직 내 안에는 깨야 할 편견이 많다. 강훈이 준 꽃다발에는 여러 종류의 노란 꽃이 오밀조밀 섞여 있었다. 닮은 듯 다른 노란 꽃들을 겸손하게 바라보았다.

이 세상 사람들이 다 나보다는
착해 보이는 날이 있다.

박완서, 『모래알만 한 진실이라도』(세계사, 2022)

일요일마다 식구 회의를 한다. 지난 일주일은 어땠는지, 어떤 책과 영화를 봤는지, 생활하면서 불편한 점은 없었는지를 나누고, 공동 생활비와 반려견의 상태를 체크한다.

나는 주로 가사 노동을 건의하는 편이었다. 가사 노동은 성별과 청결에 대한 기준, 원가족 문화가 얽혀 있어 합이 맞기 어렵다. 먼지 한 톨 두고 보지 못하던 엄마에게 익숙한 나는 기준치가 높은 편이었고, 반려인들은 상대적으로 덜한 편이었다. 우리는 서로의 차이를 줄이려고 여러 시도를 했다. 각자 매일 30분씩 노동하기, 카톡방에 노동 인증하기, 사흘에 한 번 대청소하기, 구역을 나눠서 각자 책임지기. 여러 시도를 해도 어딘지 후련하지 않았다. 마음 한 켠에 억울함이 자랐다. 언제부턴가 내가 입을 뗄 때마다 긴장감이 감돌았다. 한 번은 회의 시간에 엉엉 울기도 했다. "내가 말하지 않아도 알아서 할 수 없어?"

칼리가 식구로 들어오고 얼마 뒤, 내가 싱크대 음식물 비우기 당번을 정하자고 하자 칼리가 말했다. "가사 노동은 서로를 위하는 마음이잖아요. 내가 안 하면 다른 사람이 고생한다는 걸 기억하면 부지런해지더라고요. 서로를 믿고, 규칙을 정하지 말고 한번 생활해 보면 어때요?" 나는 반신반의하며 수긍했고, 그 뒤로 정말 많은 게 변했다.

때로 내가 조금 더 노동하는 날이면 이건 벌칙이 아니라 나와 우리를 위하는 일이라고 마음먹게 되고, 어느새 깨끗해진 화장실이나 싱크대, 쓰레기통을 볼 때마다 고마운 마음이 든다. 함께 살기 위해서는 촘촘한 규칙이 필요하다고 여겼는데, 그보다 먼저 마음이 필요한 거였다. 내가 아니면 상대가 고생할 거라는 마음. 그 마음으로 아침에 일어나 가구에 쌓인 먼지를 닦았다. 건너편에서 화장실을 청소하는 누군가의 마음이 들린다.

나는 혼자가 아니었다.
다만 몰랐을 뿐이다.

이길보라, 『당신을 이어 말한다』(동아시아, 2021)

여성 작가 다섯 명과 마감 인증 모임을 시작했다. 화요일마다 노란색 카카오 메신저에 하루치 마감 목표를 정해서 인증하면 되는 모임이다. 구성원 중에는 아직 얼굴 한 번 못 본 이도 있지만, 우리는 창작과 마감이라는 공통 이슈로 4개월 동안 꾸준히 화요일 규칙을 지키고 있다. 누군가는 웹소설을 쓰고, 누군가는 칼럼을 쓰고, 누구는 에세이를 쓴다. 대본을 쓰는 작가도 있다. 마감을 지키지 못하면 벌금이 있다. 만 원. 마감을 지킨 이는 못 지킨 이의 벌금을 사이좋게 나눠 갖는다. 깜빡 잊거나, 잠들거나, 바쁜 일정으로 3주 연속 마감을 못 지켜 벌금을 3만 원이나 낸 적도 있다.

화요일이 아니면 거의 대화가 없는 느슨한 마감 단톡방에서 나는 진한 연대감을 느끼곤 한다. 한번은 곧 출간을 앞둔 동료가 마음이 울적하다고 토로했다. 소위 '출간 블루'라고 불리는, 자기 글이 너무 하찮아서 숨고 싶어지는, 모두가 잘 아는 마음이다. 그날은 유독 메신저 창이 시끄러웠다. "아이고, 지겨운 출간 블루 기간이네요." "저도 곧 책이 나오는데 울적해요." "우리 우울할 때마다 만날까요?" "그럼 매일 만나야 하는 거 아니에요?" 시시콜콜한 이야기를 나누는 사이, 누군가는 마감을 인증했고 나도 글을 썼다.

나를 재료 삼아 글을 써 세상에 드러내는 일에는 고독과 불안이 따른다. 그럼에도 쓸 수 있는 힘은 내 이야기가 누군가에게 닿을 거라는 막연한 믿음 그리고 불안을 공유하는 동료들에게서 얻는 것 같다. 언젠가 나도 이 책을 내기 전에 외딴섬으로 도망치고 싶은 마음이 들겠지. 그럼 노란 메신저 창에서 힘껏 하소연하고 흠뻑 응원 받을 거다. 나처럼 불안을 안고 표현하는 동료들 속에서 다시 고개를 들 수 있을 거다.

그 뒤로 나는 다른 사람 속에서
내 안에 숨은 무언가를 발견할 때는
눈부시게 찬란한 사랑과 비슷한
느낌이 든다는 사실을 알았다.

릴리 댄시거, 『불태워라』(돌베개, 2020)

세 번째 책을 출간하고 특별한 경험을 했다. 편집자의 제안으로 책에 추천사를 써 준 작가들과 출간 파티를 열었다. 그간 책을 내면서 좋아하는 작가에게 추천사를 받은 적은 있지만, 모두 모여 파티를 열었던 적은 없었기에 그 경험이 나에겐 특별했다. "책이 정말 좋았어요. 세상에 이런 책이 꼭 필요해요." 내 책의 첫 독자가 돼 준 편집자와 작가들 사이에서 응원을 받으며 출간 후 밀려오던 걱정과 불안이 옅어졌다.

언제부턴가 나도 누군가의 책에 추천사를 쓸 일이 생겼다. 그중 『이만하면 괜찮은 남자는 없다』가 있다. 이 책의 저자인 박정훈 기자와는 2016년부터 온라인 공간에서 꾸준히 연결된 사이다. 2021년 정훈의 두 번째 책이 준비될 때, 추천사 제안을 받고 흔쾌히 좋다고 답했다. 책이 나온 뒤에 우리는 출간 파티를 열기로 했다. 나와 식구들은 며칠 전부터 사인 받을 책과 작은 선물을 준비했다. 아침 일찍 일어나 집 구석구석을 닦고, 테이블에 음식 그릇을 가지런히 놓았다.

화창한 일요일 오후, 우리가 사는 집에 정훈이 왔다. 실제로는 처음 본 사이지만 처음이 아닌 것처럼 반가웠다. 우리는 함께 출간을 축하했고, 성실한 글쓰기의 표본인 정훈에게 감탄하며 이런저런 이야기를 나눴다. 그간 서로의 글을 신뢰하며 읽어 왔기 때문인지 꼭 오랜 친구를 만난 것처럼 대화가 끊이지 않았다.

긴장하며 세상에 내놓았을 작품을 사이에 두고 함께 축하하는 일은 꼭 생일파티 같다. "태어나 줘서 고마워"라는 말을 "너의 고유한 경험과 생각을 세상에 나눠 줘서 고마워"로 바꾼 느낌. 이런 시간을 나눌 때면 우리는 함께 반짝인다.

여자들은 혼자 남겨지는 것이 너무
두려운 나머지 스스로를 지키거나
관계를 유지하는 것 중 하나를
택해야 할 때 종종 관계를 선택하곤
했다. 나를 바꿔야만 그가 내게
머문다면, 기꺼이 나를 바꾼다.

하미나, 『미쳐있고 괴상하며 오만하고 똑똑한 여자들』
(동아시아, 2021)

"기가 많이 세네. 자기는 고집이 너무 강해서 남자 잡아먹을 팔자야."

"자기는 성질을 죽여야 해. 안 그러면 남자가 도망 가."

사귀던 사람과 궁합을 보러 갈 때마다 비슷한 말을 들었다. 기를 죽여야 한다, 고집부리지 말라, 애교를 부려라. 단지 점집에서만 들었던 건 아니다. 곁에 있던 이도 같은 말을 하곤 했으니까.

넌 왜 이렇게 말을 안 들어? 사랑하면 내 말을 들어야 하는 거 아니야? 엄청 이겨 먹으려고 하네. 매번 널 받아 주는 사람들만 만났지? 눈 화장 진하게 하지 마. 사랑하면 섹스는 당연히 해야 하는 거 아니야? 우리 엄마 마음에 들도록 네가 공무원 준비를 하면 좋겠어. 그런 글은 안 쓰는 게 좋아. 널 위해 하는 말이야.

나를 지우고 자기에게 맞추라던 요구를 듣고 콧방귀 뀌며 바로 관계를 정리했다고 쓰고 싶지만, 그 시절 나는 그러지 못했다. 마음 둘 곳 없이 떠다니던 시절이었다. 채워지지 않는 허기에 시달리던 시절이었다. 폐기물 같은 사랑이어도 사랑 받아야 내 존재가 가치 있다고 느꼈다. 매달릴 건 그것밖에 없다고 믿었던 시절이었다.

자신을 스스로 지키는 일과 관계를 유지하는 것 중에 고르라면 차라리 관계를 택하고 싶었다. 억울해도 애써 웃고, 눈 화장을 지우고, 원하는지 모르는 채 섹스했다. 내 생각과 말을 눌렀다. 그의 곁에서 나는 작아져야 했다. 나를 지운 자리에서 사랑받던 나는 누구였을까? 소외가 짙은 세상에서 누군가는 자신을 지우는 일을 사랑이라고 믿게 된다.

그래, 이 많은 사람이 물리치료를
받으러 다니는 이유는 바로 이것
때문이야. 다정한 사람을 만나고
싶어서, 누가 나에게 잘해 주는 게
좋아서, 케어받고 싶어서.

한수희, 『무리하지 않는 선에서』(휴머니스트, 2019)

엄마와 칼리가 인도 여행을 갔을 때, 두 사람은 매일 나에게 영상 통화를 걸었다. 오늘은 엄마랑 싸웠어. 오늘은 원숭이와 인사했어. 오늘은 외국 사람들과 몸짓으로 이야기 나눴어…. 하루는 영상이 뜨자마자 손톱 다섯 개가 큼직하게 화면을 채웠다.

"이게 뭐야?" "승은아~ 엄마 여기서 처음으로 네일 아트 받았다? 나 기분이 날아갈 것 같아!" 엄마는 자기가 좋아하는 팥죽색으로 칠한 손톱을 내밀며 한껏 들뜬 목소리로 말했다. "내가 평생 이런 거 못 받아 봤잖아. 글쎄, 따뜻한 물에 손을 불려서 큐티클도 섬세하게 제거하고, 정성스럽게 손 마사지를 해 주더라? 나른하고 너무 좋았어. 색깔도 마음에 들어!"

엄마는 손가락 지문이 흐리다. 주민등록증을 재발급 받으러 갔을 때, 지문이 인식되지 않아 난처했던 적이 있을 정도다. 어릴 때부터 가사 노동을 도맡았고, 스무 살에 결혼한 뒤로는 독한 왁스 물에 맨손으로 걸레를 빨며 화장실과 집 안 곳곳을 닦던 엄마의 손. 김장철마다 빨간 고춧가루와 액젓에 절어 있던 손, 설거지하고 빨래하던 손, 가족들의 아픈 배를 문지르던 손, 아픈 할아버지와 할머니의 몸을 쓰다듬고 기저귀를 갈던 손.

엄마는 뜨거운 물을 대야에 받아서 한참 손가락을 담근 뒤에 굳은살을 벗겨내곤 했다. 가끔 매니큐어를 바를 때도 있었지만, 엄마의 손은 쉴 틈이 없었기에 이틀도 안 지나서 손톱은 얼룩덜룩해졌다. 그런 엄마의 손이 처음으로 누군가에게 다정하게, 정성스레 만져지는 상상만으로도 마음이 시큰했다.

여행에서 돌아온 뒤 나와 칼리는 동네 네일숍에 정기 회원권을 등록했다. 여전히 늘상 바쁜 엄마의 손이 적어도 3주에 한 번, 단 두 시간만이라도 돌봄을 받았으면 해서. 엄마도 받을 수 있는 사람이라는 걸 엄마에게 알려 주고 싶어서 그랬다.

사랑에서 내가 얻고 싶은 것은
걸리적거리는 자의식에서 잠시나마
풀려나는 경험이다.

멜리사 브로더, 『오늘 너무 슬픔』(플레이타임, 2018)

텅 빈 느낌. 나는 자주 공허를 느낀다. 무엇으로든 빈 곳을 채우고 싶다. 그래야 견딜 수 있다. 그게 어떤 상태인지 정확하게 설명하기 어렵지만, 허기를 달래고 싶어 나는 중독에서 다른 중독으로 끊임없이 나아간다.

어떤 날에는 책에 깊이 빠지고, 어떤 날에는 배고픈 것도 아닌데 야식을 먹을 만큼 식탐에 빠지고, 화장품이나 옷, 신발, 향수 같은 쇼핑에 몰입하다 어떤 날에는 커피와 담배에 집착한다. 분명 좋은 영향을 주지 않을 사람에게 푹 빠질 때도 있다. 특히 관계에 중독될 때의 내 모습은 파괴적인 면이 있다. 내 일상과 기존의 관계를 부정하며 그에게만 오롯이 집중하면서 반쯤 꿈꾸는 상태로 지낸다. 일정 시기가 지나면 위험 신호가 깜빡인다. '정신 차려! 반복되면 더 우울해진다는 걸 누구보다 잘 알잖아.' 내면에서 소리가 울리면 당장 그 관계를 벗어나야 한다.

나는 왜 자꾸 꿈꾸는 걸까. 왜 끝없이 채워지고 싶을까. 아직 질문에 답할 준비가 되어 있지 않다. 질문과 직면할 용기도 없다. 세상에 던져진 순간부터 '나'로 시작되는 주어를 운명처럼 안고 살아가는 내가 잠시 나를 잊는 순간은 꼭 위험을 동반한다. 공허를 몸에 안고 나를 파괴하지 않는 욕망은 가능할까.

이럴 때면, 질문을 멈추고 지금 앞에 있는 것들을 현재진행형으로 보는 연습이 필요하다. 공허에 몰입하지 않고 지금을 살아가기 위해, 오늘 아침에는 눈앞에 있는 것들을 하나씩 적었다. 동그란 원형 테이블, 폭신한 방석, 바닥과 소파 곳곳에 늘어진 하얀 멍멍이들, 각자의 방에서 쌔근쌔근 자는 반려인의 숨소리, 차가운 커피 한 잔, 글자를 기다리는 노트북 화면. 쓰다듬듯 쭉 나열하니 어느새 글자들이 한 페이지를 가득 채웠다. 쓰는 동안 잠시 허기를 잊었다.

불행에 익숙해진 이에게 고립된다는
것은 그리 치명상을 입히지 않는다.

리단, 『정신병의 나라에서 왔습니다』(반비, 2021)

서로를 상처 주는 일이 사랑이라 여겼던 시절이 있다. 혼돈과 흔들림의 반복. 감정의 롤러코스터를 타는 매일이 사랑의 증거라고 믿었다. 그는 종종 내 앞에서 벽에 머리를 박고 머리카락을 뜯으며 자해했다. 그 모습을 보며 그가 나를 너무 사랑해 자신을 스스로 상처 입히는 거라고 믿었다. 자신을 아프게 하던 그는 나도 아프게 했다. 그의 차에서 밀쳐지던 날, 내 몸은 핸드폰과 가방과 함께 길거리에 엎어졌다. 이미 그의 차는 멀어지고 있었다.

그날 밤, 그와 함께 살던 집에서 노란 전구를 켜 놓고 차분히 편지를 썼다. "우리 이제 그만 하자. 이건 사랑이 아니야." 그와 만나는 3년 중에 가장 명료하고 선명한 순간이었다. 그는 나를 붙잡으며 말했다. "널 너무 사랑해서 그랬어. 나에겐 네가 전부인데, 네가 나를 위로해 주길 바랐는데, 내 마음을 몰라주는 것 같아서 너무 서운해서 그랬어."

그와의 연애는 상처를 중심으로 도는 행성 같았다. 그 시절 나에게 연애는 도피와 같은 말이었다. 상처 받은 과거와 불안한 현재와 불확실한 미래를 잊게 해 주는 마법. 그의 품이 그 모든 아픔에서 벗어나게 해 주는 유일한 집이라고 믿었다. 그와 헤어졌을 때, 나는 젖은 휴지처럼 연약한 상태였다. 이미 상처 받았던 마음에 상처를 더하며 버티고 있었으니까.

새벽녘에 일어나 잠시 심호흡하고 그와의 시간을 돌아본다. 그랬던 시절이 있다고 적을 수 있는 지금이 안심된다. 그때 그와 내가 선택한 건 고립이었다고, 그걸 사랑이라고 쓰지는 못하겠다고 쓰는 지금, 나는 어느 때보다 선명하다.

하지만 가끔 상대에게 네가 줄 수
있는 것보다 더 나은 것을 다른
사람이 줄 수 있다는 것을 아는 거.
그게 사랑이란다, 얘야.

앨리스 오스먼, 『하트스토퍼』(위즈덤하우스, 2021)

나를 부르는 여러 별명 중에는 '연애인'이 있다. 열여섯 살부터 연애를 거의 쉬지 않고 해 왔기 때문이다. 연애에 집착하게 된 계기는 단순했다. 학교와 집, 내가 속한 대부분의 관계에서 나는 쓸모없고 하찮은 존재였는데, 연애할 때만큼은 달랐다. '나도 사랑받고 존중받을 수 있는 존재였구나.' 나는 사랑받는다는 감각에 매료되었다.

그렇게 절박한 인정 욕구에서 시작된 연애가 순탄하게 진행될 리 없었다. 상대가 내 빈 곳을 채워 줘야 한다는 불가능한 목표를 안은 채 매일매일을 보냈다. 내가 슬플 때면, '넌 나를 사랑하지 않아' 하고 생각했고, 서운하면 '이제 변한 거야', 외로우면 '너만은 내 곁에 있어 준다고 했잖아'라며 나의 모든 의미를 좁은 관계 안으로 구겨 넣었다. 그가 나를 채워 주지 못하고, 내가 그를 채워 주지 못하는 온전하지 못한 것 같은 상황이 두려웠다. 너에겐 나만 있으면 된다는 믿음을 얻고 싶었다. 그때 내 사랑은 태평양 정중앙에 난파된 채 하루하루를 버티는 위태롭고 고독한 자리였다.

연애가 인생의 모든 문제를 해결해 주지 않으며, 완벽한 상대란 존재하지 않고, 내 허기와 갈망을 모두 채울 수 없다는 걸 인정하기까지 여러 시행착오를 거쳤다. 연애에 너무 큰 특권을 준 나머지, 상대와 내 주위를 채우던 수많은 관계의 온기를 외면해 왔다는 사실도 뒤늦게 알았다. 나는 완벽한 한 사람과의 관계보다는 거미줄처럼 촘촘하게 연결된 여러 관계 속에서 소속감과 안정과 돌봄을 느낀다. 연애라는 볼드체의 글자를 연하게 만들어 나를 구성하는 여러 관계 중 하나로 정리한다. 나에겐 '너 하나'가 아닌 '우리'가 필요하다는 걸 배우고 확장하는 과정이 사랑이라고, 다시 쓴다.

사람마다 성적 즐거움을 느끼는
순간과 행위는 정말 다양하고,
성적 즐거움은 관계의 방식이나
정서적 만족감, 자존감, 존중,
또는 시간, 장소, 대화를 통해
찾아오기도 합니다.

에브리바디 플레져랩 팀, 『에브리바디 플레져북』(세어, 2022)

크라우드펀딩 사이트에서 신청한 책이 도착했다. 성적 권리와 재생산 정의를 위한 센터 '셰어'에서 제작한 포괄적 성교육 워크북 『에브리바디 플레져북』이다. 식구들과 둘러앉아 책의 내용에 따라 각자의 몸을 종이에 그렸다. 그런 뒤에 자기 몸을 어떻게 생각하는지 이야기 나눴다. 우리는 미처 알지 못했던 서로의 수치심과 두려움을 말하고 들었다. 각자 생각하는 섹스의 정의도 달랐다. 누군가는 대화를 섹스의 연장으로 봤고, 누군가는 함께 잠드는 것까지를 섹스로 여겼다. 어떻게 하면 함께 즐거울 수 있는지도 이야기 나눴다. 답을 찾지는 못했지만, 적어도 내 욕망을 알아야 협상도 즐거움도 가능하다는 것은 알게 되었다.

청소년과 교사를 대상으로 진행했던 성교육이 떠오른다. 그때 내 논의는 위험 예방과 성적 다양성에 초점을 맞췄었다. 이마저도 학교에서는 듣기 어려운 이야기여서 급진적이라는 피드백을 받았는데, 어딘가 허전했다. 성적 즐거움이 빠진 논의의 한계였던 거다. 정자와 난자가 만나는 비디오, 낯선 사람을 조심하라는 조언이 내가 받은 유일한 성교육이었다. 바나나에 콘돔을 끼우는 이미지 정도가 급진적인 성교육인 것처럼 포장되지만, 성적 권리를 위해서는 그보다 촘촘한 이야기가 필요했다.

포괄적 성교육은 성매개감염이나 원치 않는 임신을 예방하기 위한 방법을 넘어, 성적 즐거움을 다룬다. 섹스를 파트너(들)와의 관계뿐 아니라 내 몸과의 관계로 보고, 고정관념과 편견을 해체할 기회를 제공한다. 관계를 위해 필요한 지식과 기술, 다양한 정보를 받을 권리를 요구하고, 은밀하게 밀려난 성을 공적 권리로 호명한다. 다시 성교육을 할 기회가 온다면 '함께 즐거움'이라는 키워드를 잊지 않고 추가할 거다. 섹스라는 단어에 묻은 낙인과 오해, 무지, 환상을 벗겨내고 자기만의 방식으로 관계 맺는 법을 함께 탐구하고 싶다.

마음에 남은 한 마디가 위험으로
굴러 떨어지는 단을 붙잡아 줄
마찰력이 되었을지도.

최진영, 『해가 지는 곳으로』(민음사, 2017)

여행지에서 눈을 뜬 새벽, 친구 한이 어두운 표정으로 책을 읽고 있었다. "무슨 일이야?" "나 악몽을 꿨어. 요즘 자꾸 악몽을 꿔. 꿈에서 내가 사랑하는 사람들과 격렬하게 다퉜어. 요즘 나는 행복한데, 이런 꿈을 꾸면 지금 내가 잘못됐다는 암시 같아서 불안해." "꿈 일기를 한번 써 보면 어때?" 내 말에 한은 식탁에 앉아 오랫동안 글을 썼다. 한이 쓴 일기를 읽고, 그 아래에 나도 글을 이어 썼다.

"꿈은 내가 나에게 보내는 메시지라고 하던데, 어떤 메시지일까. 그래도 꿈에서 넌 힘껏 소리치고 책상을 내리칠 힘이 있었어. 그게 나에게 가장 먼저 들어와. 힘든 상황에서 도망치거나 회피하지 않고 직면하는 네 모습이 보였어. 내가 나로 살려고 노력하는 모든 순간에 중력처럼 끌어당기는 익숙한 것들이 있지. 우리는 아마 불안에서 자유로울 수 없겠지만, 그림자도 안고 살아가면 되겠지? 오늘 밤에는 악몽을 꾸지 않으면 좋겠다. 사실, 악몽을 꾸더라도 그 악몽을 네가 품을 수 있기를 바라. 꿈에 대한 해석도 결국 내게 주어진 것이니까. 나에게 글쓰기는 주어진 해석을 다르게 바라보고 표현하는 일이었어. 그래서 꿈 일기를 쓸 때, 꿈을 꾼 뒤의 내 모든 상태를 재해석하곤 해. 꿈속 풍경과 그 꿈을 바라보는 내 감정과 생각까지. 새벽에 너와 식탁에 앉아서 나란히 글을 쓸 수 있는 지금이 소중해. 꿈이 너를 덮치지 않도록 앞으로도 너의 꿈 일기 뒤에 내가 글을 이을게."

한은 글을 읽은 뒤 한동안 고요히 앉아 있었다. 이윽고 내 눈을 바라보며 말했다. "이제 나에게 악몽은 불안으로만 해석되지 않을 거야. 고마워, 승은아."

12년 동안 나는 단 한 순간도
혼자였던 적이 없어. 나만의 시간이
없었어. 그러니까 이제 다시
나 자신이 되는 법을 배워야 해.

도리스 레싱, 『19호실로 가다』(문예출판사, 2018)

배낭에 짐을 챙겼다. 핸드폰 충전기, 로션, 잠옷, 블루투스 스피커. 집을 나온 뒤 걸어서 5분 거리의 숙소에 도착했다. 713호. 이곳이 며칠 동안 머물 나만의 공간이다. 문을 열고 들어가자 단정하게 정리된 하얀 이불과 큰 욕조가 눈에 들어왔다. 침대에 걸터앉아 창 너머로 하늘을 보았다. 주위가 고요했다. 비혼을 지향하지만, 오랫동안 누군가와 생활을 공유해 온 나에게 혼자는 낯선 감각이었다. 반려인, 반려견과 쭉 동거하다가 출장이나 특별한 이유 없이 며칠간 혼자 지내는 건 정확하게 11년 만이었다.

언제부턴가 울 것 같은 기분이 드는 순간이 늘었다. 몇 달 전, 오랜만에 만난 엄마 앞에서 내가 왜 이러는지 모르겠다며 눈물 흘리자, 엄마는 휴지를 건네주며 말했다. "승은아, 잠시라도 좋으니 집을 나가 보면 어때? 너 매일 글 쓰고 일하면서 사람들과 부대끼며 살잖아. 너도 너만의 시간이 필요해." 엄마는 오래전 적극적으로 혼자가 되었던 경험을 들려주었다. 내가 열세 살 무렵, 당시 삼십 대 중반이었던 엄마는 며칠 동안 집을 나갔다. 그때 엄마는 자기를 삼킨 역할에 숨이 턱턱 막히는 기분이었다고 했다. 집에서 편하게 숨을 쉬기 어려웠다고 했다. 어느 봄, 무작정 짐을 챙겨 춘천역 근처 허름한 여관으로 갔다. 여관 주인은 혼자 온 엄마를 보고 출장 왔냐고 물었고, 엄마는 그렇다고 답했다. 집을 벗어난 2박 3일 동안 엄마는 글도 쓰고 노래도 부르고 술도 마시고 산책도 했다.

엄마와 나는 다른 시대와 다른 관계에 속해 있지만, 우리를 관통하는 간절함은 닮아 있었다. 누구에게나 도리스 레싱의 이 문장이 간절해지는 순간이 있다는 것을 안다. "그녀는 혼자였다. 그녀는 혼자였다. 그녀는 혼자였다. 자신을 짓누르던 압박이 사라지는 것을 느꼈다."

111

우리가 글을 쓸 때 필요한 건
바깥세상의 공기와 소음,
요컨대 모든 살아 있는 것들을
느끼는 거예요.

마르그리트 뒤라스, 『뒤라스의 말』(마음산책, 2021)

장마와 마감, 월경이 겹치면 마음속에서 혼돈 파티가 벌어진다. 침대에서 빠져나오지 못하고 우울과 엉켜 있는 나를 보더니 지민이 커피와 노트북을 내밀며 말했다. "힘들지? 이럴 때, 승은이가 사랑하는 것들을 구체적으로 떠올려 보면 어때?" 그 말에 이끌려 노트북을 켜고 내가 사랑하는 목록을 적어 보았다.

새벽녘 창문으로 번지는 희미한 햇살. 같은 베개를 베고 잠들어 있는 댕댕이의 작은 숨소리. 그들의 발바닥에 코를 박고 고소하고 꿉꿉한 냄새를 맡는 일을 나는 사랑한다. 아침에 일어나 얼음 띄운 커피 한 잔을 홀짝홀짝 마시며 작은 책상 앞에 앉아 꿈 일기를 적는 순간을 사랑한다. 다이어리에 '돌봄, 가사, 노동' 순으로 하루 일과를 하나둘 채우고 실천하는 과정을 사랑한다. 거실에 샌들우드 향을 피우고 잔잔한 음악을 듣는 순간을 사랑한다. 유튜브에서 서서 하는 10분 스트레칭을 검색해서 밤새 웅크린 몸을 펴는 순간을 사랑한다. 댕댕이와 집 밖에 나가 계절의 변화를 느끼는 느린 산책길을 사랑한다. 큰 책장 다섯 개에 꽂힌 수백 권의 책들을 사랑한다. 그 책을 쓴 다양한 인종, 장애, 연령, 성별, 성적 지향을 가진 저자를 사랑한다. 책을 읽으며 내 세계가 무너지고 다시 무언가를 짓는 순간을 사랑한다. 글을 쓰며 내 안의 불순물을 휘젓고 걸러내는 순간을 사랑한다. 수업에서 함께 글을 쓸 때, 자기 이야기로 쑥 들어가는 누군가의 모습을 보는 순간을 사랑한다. 그의 이야기를 듣는 순간을 사랑한다. 냉소하기보다는 작은 희망을 안고 변화를 만들어 가는 이들을 사랑한다. 누군가의 아픔을 외면하지 못하고 끝내 돌보려는 다른 누군가의 마음을 사랑한다. 정해진 길을 이탈해 혼란을 느끼면서도 춤추고 울고 웃으며 그 길을 가는 모든 이의 여정을 사랑한다. 타자의 아픔을 알아보고 책임지려는 모든 서툰 사랑을 사랑한다.

여성의 삶을 방해하고 축소하는
가부장적 결혼이 아니라
여성이 자신을 창조해 나가는 과정의
연장선상으로의 결혼.

에이드리언 리치, 『우리 죽은 자들이 깨어날 때』
(바다출판사, 2020)

"나래야, 나 승은이야. 어색하다. 내가 이런 영상을 찍게 될 줄 몰랐는데. 아니다, 나래가 나를 두고 결혼할 줄 상상도 못했다는 말이 더 맞겠다. 너의 결혼을 축하하는 영상을 찍을 수 있는 지금이 신기하고 기뻐. 내 이십 대는 너를 빼고 설명할 수 없잖아. 열아홉 대학 신입생 때 만난 우리. 그때부터 너는 함께 모험을 떠나는 동료이자 아픔을 공유하는 친구, 내가 힘들 때 품에 안아 주던 언니였어. 그런 존재가 결혼을 한다니, 아직 실감이 나지 않아.

기억나? 우리 이십 대에 비혼을 결의했던 사이잖아. 그때 우리는 자주 말했지. "결혼 왜 해? 우리끼리 살자. 남자 없어도 돼!" 그때 우린 가족의 아픈 모습을 목격하며 얼어 있었어. 어린 시절의 아픔, 우리 주위에 번져 있던 슬픔들. 그런 모습을 보면서 결혼은 미친 짓이라고 소리 지르곤 했잖아.

처음 네가 결혼 소식을 들려줬을 때, 놀랐지만 걱정보단 기쁨이 컸어. 그간 자신을 포기하지 않으면서 관계 맺으며 살아가는 사람들을 봐 왔기 때문도 있고, 무엇보다 나는 네가 자기를 잘 지키는 사람이라는 걸 아니까. 결혼해도 나래는 나래일 거니까.

내가 어제까지 읽던 책이 있어. 책을 읽다가 나래에게 들려주고 싶은 부분이 있어서 밑줄 쳐 놨어. 잠깐 읽어 줄게. "여성의 삶을 방해하고 축소하는 가부장적 결혼이 아니라, 여성이 자신을 창조해 나가는 과정의 연장선상으로서의 결혼." 나는 그걸 네가 할 수 있다고 믿어.

나래야, 결혼해도 나는 나래가 꼭 나래로 불리길 바라. 좋은 아내, 며느리 이전에 통통 튀는 매력을 가진 너로 존재하길 바라. 나 언제나 나래 곁에 있을 테니까 우리 함께 잘 살아 보자. 진심으로 축하해. 사랑해."

우리는 성애적 요구를 섹스에만
한정시키고, 삶의 다른 중요한
영역과 분리하도록 배웠다.

오드리 로드, 『시스터 아웃사이더』(후마니타스, 2018)

애인 앞에서 엉엉 울면서 물은 적이 있다. "이제 날 사랑하지 않아? 내 몸을 원하지 않아?" 섹스 횟수가 줄어드는 걸 내가 더는 매력적이지 않은 일, 중요한 존재가 아니게 된 일로 여겼다. 상대는 절대 사랑이 줄어서 그런 게 아니라고 했지만, 믿지 못했다. 그와의 섹스가 특별히 만족스럽지도 않았으면서 내 존재가 부정당하는 느낌을 지울 수 없었다.

결혼하거나 오래된 이성애(유성애) 연인 사이에서 비슷한 고민을 호소하는 여성의 목소리를 듣는다. 섹스가 줄어드는 만큼 존재의 부피가 줄어드는 것 같다는 울먹임. 그런 순간마다 섹스가 뭘까 질문했다. 여성에게 욕망의 대상이 되는 일이란 어떤 의미일까. 욕망하고 욕망의 대상이 되는 일은 중요한 일일 수 있지만, 누군가에게 그것이 유독 존재를 증명하는 일처럼 여겨지는 건 단지 개인적인 감정으로 치부할 수 없었다. 초기의 열정이 사라지면 상대는 넓은 세상으로 나가 자기 무대를 누비느라 바빠지고, 한 여자는 그의 곁에서 슬퍼한다.

얼마 전에도 나는 비슷한 감정에 빠져들었고, 심호흡한 뒤에 이런 글을 썼다. "나를 원하는 눈빛과 스킨십에 모든 의미를 기대는 일은 존재를 외주화하는 일이다. 침대 밖에 더 넓은 세계가 있다."

나는 섹스할 때 기쁜 만큼, 누군가에게 내 삶과 생각을 글로 표현하고 상대가 내 글을 읽고 자신의 이야기를 시작하는 순간도 기뻐한다. 나는 내 몸을 누군가 욕망해 주길 바라지만, 서로의 입체적인 서사에 귀 기울이는 순간 역시 욕망한다. 지금 잠깐 찾아온 익숙한 허기로 내 존재를 의심하고 싶지 않아 나는 오랫동안 여자의 자리로 여겨졌던 침대에서 벗어나 문을 열고 밖으로 나간다. 내게 다가올 다양한 모양의 사랑과 욕망을 살아내기 위해.

117

무엇보다 기다림이 어려운 가장 큰
이유는, 나를 해친 주체의 모호함
때문이다. 오지 않는 무엇인지,
기다림 그 자체인지, 나 자신인지.

신유진, 『몽 카페』(시간의흐름, 2021)

흔한 작별 인사, "잘 지내, 그동안 고마웠어." 다음에 두 문장을 덧붙였다. "이제 우리 서로 기다리지 말자. 좋은 이별이 되려고 노력하지 말자."

사랑의 끝은 언제일까. 사랑했던 기억을 안고 우리는 잘 헤어질 수 있을까. 내밀한 사랑의 기억은 나를 약하게 만든다. 상대와 나는 관계를 위해 변화할 의지가 없는 상태에서 서로 사랑한다고 말한다. 서로 상처 받으면서 찐득하게 이어지는 상태는 사랑일까, 미련일까, 외로움일까.

몇 개월 동안 열 번은 넘게 헤어지자고 말하고, 다시 만나는 일을 반복했다. 그 과정은 나를 학대하는 일이기도 했다. 나를 아프게 한 건 그래도 널 사랑한다고 말하는 상태일 수도, 그 상태라도 유지하고 싶었던 나 자신일 수도 있다. 이별의 이유는 단순했다. 성격과 가치관, 습관의 차이. 사소해 보이지만 서로가 결코 양보할 수 없는 기준들. 닿을 수 없는 거리를 알고 있으면서 추억에 기대 무언가를 기다렸다. 사랑한다고, 기다린다고 말하는 그의 말을 믿으며 기다렸다. 대체 무엇을 기다린 걸까?

몇 주 사이 체중이 3킬로그램이 넘게 준 내 상태를 보고 곁에 있던 누군가 말했다. "어떤 변화나 노력 없이 사랑한다고 말하는 것처럼 무책임한 일이 있을까요. 그런 상황에서는 누군가 나쁜 사람이 되어야 한다고 생각해요." 그 말을 듣고 깨달았다. 아, 우리는 변화할 의지가 없구나. 모호한 기다림을 끝내자. 더는 방치하지 말자.

내가 할 일은 간단했다. 먼저 관계의 마침표를 찍으면 되는 거였다. 메일을 보낸 뒤, 한동안 나는 아팠다. 참을 수 있는 아픔이었다.

그건 그냥 미움이야. 가진 것이
다르고 서 있는 위치가 다르다고
해서 계속 밀어내고 비난하기만 하면
어떻게 다른 사람과 이어질 수 있어?

윤이형, 『붕대 감기』(작가정신, 2020)

친구의 결혼식에서 몇 년 만에 노랑을 만났다. 눈이 마주치자마자 우리는 손을 포갰다. "보고 싶었어." "나도 보고 싶었어, 승은아." "노랑, 그때 내가 미안했어." "아니야, 내가 바보처럼 굴었어. 널 정말 그리워했는데." "아니야. 내가 널 더 믿었어야 했는데, 결혼 소식조차 말하지 못하게 만든 거 미안해."

우리가 연락을 끊게 된 계기는 노랑의 결혼이었다. 노랑의 오랜 애인이자 지금의 남편을 나는 미워했다. 사실 나는 노랑의 애인뿐 아니라 많은 이성애 친구의 애인을 못마땅하게 여기는 편이었다. 그는 게을러. 그건 폭력이잖아. 내 비난의 화살은 그를 만나는 친구에게로 향했다. 넌 왜 그런 사람을 계속 만나? 얼른 벗어나야지, 미련해.

관계에서 힘든 일이 있을 때마다 하소연하던 노랑이 언제부턴가 내 앞에서 입을 다물었다. 나를 찾지 않았다. 그와 결혼할 때도 노랑은 내게 연락하지 않았다.

나중에, 나는 누가 봐도 위험한 사람과 연애했다. 상대에게 언어폭력을 당하고 주위 사람에게 고민 상담할 때마다 "얼른 헤어지지 않고 뭐 하냐"는 재촉을 들었다. 분명 폭력이라는 걸 알면서도 선뜻 끊어 내기 어려웠다. 그는 상처만큼, 세상에서 가장 포근한 사랑을 주는 사람이기도 했으니까. 주위 사람이 나를 한심하게 볼 것 같아 점점 침묵하게 되었다. 고립된 나는 위험한 관계로 더 빠져들었고, 누구에게도 도움을 요청할 수 없었다.

마침내 그와 이별한 뒤에 지난 내 모습을 돌아봤다. 정말 필요한 순간에 나는 도움을 요청할 수 있는 지지대가 돼 주지 못했구나. 모든 맥락을 지우고 간편하게 옳음을 조언하는 건 누구보다 나를 위한 일이었을 뿐이다. 노랑과 다시 만난 그날 밤, 나는 메시지를 남겼다. "노랑, 난 널 믿어. 그 시절 널 믿어 주지 못해 미안해. 언제든 힘들 때 내게 기대 줘."

그렇다. 나는 오랜 세월 사랑을
아주 우습게 여겼다.

산만언니, 『저는 삼풍 생존자입니다』(푸른숲, 2021)

"그런데 승은 님, 안정적인 것도 재미있어요." 한동안 권태에 빠져 있었다. 예전에 들리지 않았던 말이 지금은 들리는 순간이 있다. 안정에서 재미를 찾을 수 있다는 동료 작가 진송의 말이 그 당시에는 흐릿하게 들렸는데, 지난 사진첩을 보다가 그 말이 또렷하게 내게로 들어왔다. 새벽에 글을 쓰고, 산책하며 계절을 느끼고, 사랑하는 이들과 맛있는 음식을 먹으며 이야기 나누고, 사랑하게 된 책을 읽고 나누던 일상. 그런 순간을 권태라고 단정 지어 왔다.

오랜만에 책 한 권을 집중해서 읽었다. 『나는 삼풍 생존자입니다』. 제목만 보고 예상했던 내용과 달리, 저자는 생존자나 피해자만이 아닌 불안하고 짜치고 사랑할 줄 모르고 또 알기도 하는 입체적인 사람으로 그려져 있다. "오랜 세월 이 불안한 감정들을 '사랑'이라 믿었다. 해서 한평생 그 같잖은 사랑, 내 사지는 지금 불구덩이에서 타들어 가고 있는데, 고작 문밖에서 힘내라고 소리나 쳐 주는 그딴 마음 같은 거, 문 열고 들어와 내 얼굴에 시원하게 찬물 한잔 끼얹어 주지 못하는 그 무능함, 그딴 거 필요 없다고 믿었다."

요즘엔 생각이 많아질 때마다 무작정 집 앞 공원으로 나간다. 걷는다. 잠시 멈춘다. 사진을 찍는다. 하늘을 본다. 집에 누워서 하는 생각은 주로 외로움으로 연결된다. 생각에도 패턴이 있다면, 내 머릿속에는 안정을 무시하고 불안으로 나아가고 싶어 하는 길이 나 버린 것 같다. 안정보다 불안이 더 익숙하기 때문일지도 모른다.

'패턴을 깨고 싶어.' '주어진 사랑을 우습게 여기고 싶지 않아.' 비가 내리니까 가지 말라는 식구들의 만류를 뒤로하고 슬리퍼 질질 끌고 밖으로 나갔다. 동네를 산책하며 사진을 찍었다. 빗물에 슬리퍼를 신은 발이 홀딱 젖었지만, 시원했다. 이런 일상이 얼마나 재미있는지 잊고 싶지 않다.

그 거리감이 상처가 되었다.
거리감에서 나온 타인의 말은 그것이
무엇이든 날을 품고 있었다.

안미선, 『여성, 목소리들』(오월의봄, 2014)

거의 9년 만에 임신테스트를 했다. 9년 만이라는 걸 정확하게 기억할 수 있는 이유는 지난 몇 년은 생리가 늦어져도 '혹시?' 하는 불안감을 느낄 물리적 조건이 아니었기 때문이다. 아마 첫 기억은 스무 살 무렵이었을까? 나는 살면서 몇 번이나 비슷한 불안을 통과했을까? 변기에 앉아 테스트기의 종이가 서서히 젖어가며 선을 만들 때, 나는 내가 언제 또 누구와 이랬는지 기억하려고 애썼다. 떠올릴 수 없었다. 아무리 구체적인 순간을 하나하나 짚어보려 노력해도 내가 기억할 수 있는 건 상대가 아닌 나와 테스트기, 조용한 화장실과 졸졸 흐르던 오줌 소리, 희미하게 퍼지던 물결과 붉은 선뿐이었다. 다른 점이라면 내 나이, 입고 있던 옷, 화장실의 모양새 정도다.

섹스의 기억은 개별적이다. 나는 누구와 어떤 장소에서 어떤 기분으로 섹스했는지 떠올릴 수 있다. 섹스 후에 불쾌하거나 헛헛하거나 다정했던 순간도 구분해서 떠올릴 수 있다. 테스트기 앞에서는 다르다. 구분할 수 없다. 상대를 떠올리지 못하는 건, 정말 나는 혼자였기 때문이다.

테스트기를 손에 쥐고 화장실에 가기 전, 상대에게 들었던 여러 말이 떠오른다. 내가 널 책임질게. 결혼할까? 지금은 좀 이르지? 넌 어떻게 하고 싶어? 아마 내가 화장실에 있는 동안, 상대도 나처럼 긴장해 문 앞을 서성이며 오만 가지 생각을 했을 거다. 하지만 그 모든 순간 나는 혼자라고 느꼈다. 내 몸은 상대와 섞이며 어떤 가능성을 맞았지만, 가능성 앞에서 늘 혼자인 기분이었다.

한 줄인 빨간선을 확인하고 다리에 힘이 풀렸다. 문을 열고 나와 아니라고 말하자 그는 나를 안고 말했다. "다행이다. 놀랐지?" 그러게, 정말 다행이지. 나는 그 말을 곱씹으며 애써 그 기분을 지우려고 노력했다. 금기와 고독이 몸을 감싸는 익숙한 기분을.

그러니 여러분도, 모두 끝내주게
망한 사랑을 하기를 바랍니다.

민서영, 『망하고 망해도 또 연애』(위즈덤하우스, 2021)

이별한 그를 오랜만에 만났다. 우리는 나란히 공원을 걸으며 지난 이야기를 나누었다. 그간 잘 지냈어? 어떻게 지냈어? 이런 이야기를 나누다가 헤어지려는데, 그가 말했다. "너랑 섹스하고 싶다." 정색하며 거절했지만, 혼란스러웠다. 이별하고 가끔 섹스만 하는 사이도 괜찮지 않을까? 근데 우리는 몇 개월 동안 사랑한다고 수백 번 말하고 헌신했는데, 그 시간을 기억한 채 적당히 섹스만 즐길 수 있을까? 이건 내가 정한 한계인 걸까?

동료에게 고민을 털어놓자 이런 답이 돌아왔다.

"비교적 안전이 확인된 사람이랑 고정적으로 만족스러운 섹스를 할 수 있으면 괜찮은 거 아닐까요? 복잡한 감정이 들면 그때의 내가 잘 갈무리할 거라 믿어요. 이런 관계는 처음이라고 했지만, 사실 사람이 달라지면 모든 관계는 다 처음이지 않나 싶어요. 나는 승은이 아니니 승은이 어떤 감정을 느끼게 될지, 힘들어질지, 즐겁기만 할 수 있을지 말할 순 없겠지만, 어떤 마음이 들든 늘 이야기 나눠 주길 기다리고 있을게요."

상대가 달라지면 어떤 관계든 처음일 수밖에 없다는 말이 쏙 들어왔다. 그래, 모든 걸 처음처럼 해 보자. 나는 낯선 방식의 관계를 맺어 보기로 했다. 일명 X와 S 파트너 되기! 시도는 오래가지 못했다. 이유는 정확히 모르겠으나 그리워했던 그와의 섹스는 이전처럼 즐겁지 않았다. 동료의 말이 아니었다면 내 욕망을 탐구할 기회조차 없이 가 보지 못한 길을 후회했을 거다.

나는 끝내주게 망한 연애를 했다. 울고불고 서로를 놓지 못했던 순간들. 사랑인지 미련인지 성욕인지 헷갈리던 시간들. 딱 잘라 정의하기 어려운 감정들. 망한 시간 속에서 내 한계와 욕망을 배웠다. 매번 처음이라 위험할 수밖에 없는 관계에서 실패할 기회를 적극적으로 맞아도 내 삶이 망가지지 않을 거란 사실도.

'애린아, 친하지 않아도 돼.
친절하기만 해도 고마운 일이야.'

이향규, 『후아유』(창비교육, 2018)

나에겐 강박이 있다. 누군가 호의를 보이고 나도 상대에게 호감이 생기면 바로 삶을 포개고 싶은 강박. 친해지고 싶어. 누구에게도 보이지 않은 모습을 내게 보여 줘. 당신 내면의 깊은 이야기를 내게 들려줘. 지질한 모습을 보여 줘. 나도 그렇게. 그걸 나눠야 우린 친구가 될 수 있어.

주파수가 맞기란 얼마나 어려운 일인지. 내 기대만큼 돌아오지 않는 상대의 반응에 혼자 상처 받고 방어벽을 치다가 끊어낸 적도 여러 번이었다. 그렇게 멀어진 아쉬운 인연이 꽤 많았다. 내밀하게 섞이지 않더라도 우리는 분명 다양한 교류를 할 수 있었을 텐데, 욕심이 관계를 망친 거다.

친해지고 싶었다. 사랑하는 모두와. 친하다는 게 뭔지는 생각하지 않고 무작정 그러고 싶었다. 경계를 존중하며 서로에게 좋은 관계가 된다는 게 뭔지 생각하지 않고 다가가는 일은 상대를 한 발 물러서게 했다. 나도 준비 안 된 상태에서 깊이 다가오는 누군가를 피해 물러섰던 적이 있으면서 같은 실수를 반복했다.

나는 농담처럼 말하곤 했다. "저는 친구가 별로 없어요." 사전에는 '친구'가 가깝게 오래 사귄 사람이라고 정의되어 있다. 가까움의 기준은 개별적이다. 일 년에 한 번 내게 끝내주는 시집을 추천해 주는 은희, 분기마다 서로 안부를 묻고 아플 때 서로 달려가는 랑, 맛있는 음식과 담배를 나누는 옆집 사는 가피, 주기적으로 망한 연애 경험을 나누는 지연. 생일이나 기쁜 날마다 안부를 전하는 셀 수 없이 많은 관계가 새롭게 보인다. 내 안에 깊게 박힌 '친함 강박'을 내려놓자 곁에 있는 이들이 선명해진다. 서로에게 친절한 느슨한 관계망을 알아차린 것만으로도 속이 든든하게 찬다. 이제 말을 수정할 차례다. "저에겐 서로 기꺼이 친절한 관계가 아주 많아요."

미안해하지 않아야 할 일을
미안해했고 내 잘못이 아닌 일에도
사과했다. 그저 내가 나라는
사실이 죄스러웠다.

록산 게이, 『헝거』(사이행성, 2018)

"승은은 자신의 몸과 어떤 관계를 맺고 살고 있나요? 그 관계는 어떤 과정을 거쳐 왔고, 지금은 어디를 지나고 있나요? 거기에 승은 님 몸에 새겨진 타투가 어떤 식으로 개입해 있는지도 궁금해요."

눈꼬리와 눈썹을 자유자재로 움직이는 한경을 처음 만난 날은 가을 끝 무렵이었다. 한경은 '여성, 타투, 창작자' 키워드로 사진집을 준비하고 있었고, 그날은 촬영 전 인터뷰하는 날이었다. 내 몸과 어떤 관계를 맺고 있느냐는 질문에 말이 막혔다. 질문을 듣자마자 떠오른 문장은 "화해하는 중입니다"였는데, 왠지 바로 말이 나오지 않았다. 왜 몸과 싸워야 했는지 마음이 복잡했다.

나를 스캔하던 여러 눈빛, 기어코 외모를 평가하던 누군가의 말, 가슴을 만지고 도망가던 남자애들의 뒷모습, 교복 아래 스타킹을 신은 다리가 검은 무 같다고 놀리던 누군가의 손가락질. 어느 날부터 나는 몸을 인식했고, 거울 앞에 있는 시간이 길어졌다. 그때부터 모공, 여드름, 살과 털, 골격 등 몸을 조각조각 나눠 세밀하게 미워했다. 하지만 이것만은 분명했다. '나는 나를 미워하고 싶지 않았어요.'

"저, 몸 엄청 미워했어요. 사실 지금도 미워해요. 왜 몸과 싸워야 했는지 질문하면 너무 부당하다고 느끼거든요. 근데 부당해도 미워하게 만드는 문화에서 자유롭지 못하죠. 싸우기 싫은데 싸워야 했고, 화해하려고 노력해야 하는 지금이 부당하다고 느끼면서도 계속 화해 중인 것 같아요. 아마 평생 그러겠죠. 타투는 획일적인 아름다움을 추구하라는 명령에 적극적으로 저항하는 하나의 방법, 제 몸과 화해하는 방법이었어요. 더는 싸우거나 미워할 대상으로 여기고 싶지 않아서요. 나를 미안해하고 싶지 않아서요."

내 속에는 울음이 살고 있다.
밤마다 울음은 날개를 퍼덕이며
나와 자신의 갈고리들로,
사랑할 무언가를 찾는다.

실비아 플라스, 『에어리얼』 「느릅나무」(엘리, 2022)

─그 마음 조금은 알 것 같아요. 별거 아닌데, 패턴이 깨지면 우울하게 느껴질 수 있죠. 지금 느끼는 우울을 제가 조금이라도 덜어 줄 수 있다면 좋겠어요.

낯선 이와 몇 번 메시지를 나눈 어느 우울한 오후. 내 우울을 덜어 주고 싶다는 말이 고마웠다. 해가 질 무렵, 나는 물었다.

─갑작스럽긴 한데, 괜찮으면 우리 산책 할래요?
─좋아요. 그럼 두 시간 후에 괜찮으세요?

그는 차로 30분 걸리는 우리 동네로 택시를 타고 왔다. 아무 정보도 모르면서 달려오는 그도, 그를 기다리는 나도 좀 이상한 상태인 건 분명했다. 눈빛이 예쁜 사람이었다. 어색하게 인사를 나눈 뒤 함께 걸었다. 하늘엔 둥근 달이 떠 있었고 듬성듬성 별이 보였다. 갈대숲을 걷다가 낡은 벤치에 앉아 서로 좋아하는 음악을 한 곡씩 틀었다. 그는 M의 음악을 좋아한다며 인파 가득한 도심에서 이 음악을 들으면 마음이 평온해진다고 했다. 음악을 듣다가 물었다. "근데, 저를 잘 모르면서 멀리서 오는 거 겁나지 않았어요?" "글쎄요. 최근 그런 생각을 했어요. 나를 찾아 주는 사람이 있는 건 고마운 일이잖아요. 그러니까 일단 가 보자 싶었어요."

그와 세 시간 넘게 동네 구석구석을 걸었다. 이후 나는 밤 산책을 나갈 때마다 그가 들려준 음악을 재생한다. 벤치에서 하늘을 보던 밤에 그는 말했다. "살면서 그런 때 있잖아요. 단 한 번 스치는 인연이어도 잊을 수 없는 순간을 맞이할 때요. 지금이 딱 그런 순간이 될 것 같아요."

인터넷에서 더 나은 버전의 나,
더 진실한 나를 보여 주고자
하는 꿈은 손가락 사이 모래처럼
스르르 빠져나갔다.

지아 톨렌티노, 『트릭 미러』(생각의힘, 2021)

오랜만에 만난 선배가 물었다. "요즘 페이스북에 안 보여서 무슨 일 있나 걱정했어요." "선배, 저 이제 페이스북은 안 하고 주로 인스타그램에 소식을 올려요!" "다행이에요. 걱정돼서 연락 한번 할까 싶었어요." 게시물 올린 날이 몇 달, 몇 년 전에 멈춰 있으면 이런 오해를 받기도 한다. 걱정에 대한 고마움과 별개로 마음이 복잡했다. 분기마다 한 번씩 안부 글을 올리는 게 나을까.

SNS를 아예 멀리하려 했던 적이 있다. 실시간으로 연결되어 있다는 피로감, 게시물에 눌리는 하트 수 집착, 플랫폼에서 형성되는 편 가르기에 대한 반감 등이 이유였다. 얼마 안 가 SNS에 다시 접속했다. 인정할 수밖에 없었다. 인터넷이 전부가 아니라는 사실을 인지하는 만큼, 인터넷을 무작정 외면할 수 없다는 현실을 받아들여야 다음 고민이 가능했다.

사진과 동영상 같은 이미지 위주인 인스타그램에 나는 긴 글을 올리곤 한다. 기쁜 일만큼이나 아프고 슬픈 일도 공유한다. 그걸 보고 누군가는 왜 너의 약점을 전시하느냐고 걱정하고, 누군가는 아프다면서 다른 걸 욕망하는 내 모습이 일관적이지 않다며 비난하기도 했다. 힘들다고 일상과 감정이 멈춘 게 아닌데, 게시물 하나가 존재에 미치는 영향이 이렇게 크다. 그래서 나는 더욱 내 욕망을 말한다. 아파도 욕망할 수 있고, 슬퍼도 웃을 수 있다고. 그게 모순적이고 웃긴 우리의 모습이라는 사실을 말하고 싶어서 더욱 드러내 쓴다.

또 다른 누군가는 내 글에 진심 어린 답글을 단다. 함께 기뻐하고 슬퍼한다. 위로한다. 만난 적 없어도 서로에게 힘이 되려 타자를 친다. 단 몇 초의 마음으로 하루를 버틸 힘을 얻기도 한다. 연결되어 있다는 감각은 피로이기도, 안심이기도 하다. 어지러운 인터넷 세계에서 오늘도 흔들흔들 이곳저곳을 산다.

말하는 당신은 누구인가요?
당신의 의견은 어떤 입장에서
출발했나요? 그 입장은 어디에
근거한 것인가요? 의미는 사회적
논의 과정, 화자(말하는 사람)와
청자(듣는 사람) 사이의 힘의 관계에
따른 일시적인 개념이다.

정희진, 『낯선 시선』(교양인, 2017)

"그 형은 마초인데, 알고 보면 정말 좋은 사람이야."

그의 말을 들을 때마다 신경이 곤두섰다. 마초는 남자다움을 지나치게 과시하거나 우월하게 여기는 사람인데, 그런 태도를 가진 사람이 좋은 사람이라고? 혹시 마초의 뜻을 모르고 쓰는 걸까 싶어서 그 말은 잘못되었다고 정정해 주었다. 이후에도 그는 같은 말을 반복했다.

같은 남성인 그에게 그 형은 정말 좋은 사람이었을 수 있다. 성차별적인 표현이나 태도를 그가 접할 일은 거의 없을 테니까. 만약 그 형과 관계 맺는 사람이 나나 다른 여성, 성소수자였다면 어땠을까.

"걔가 데이트 폭력을 저질렀다고? 그럴 사람이 아닌데." 이십 대에 만났던 전 애인이 내게 저지른 폭력을 알렸을 때, 친하게 지내던 선배는 말했다. 선배에게 그는 좋은 사람이었겠지만, 나에게는 아닐 수 있다는 걸 선배는 가뿐하게 무시했다.

사회에서 꽤나 인정받는 문화기획 단체 대표나 예술가, 운동선수, 교수, 목사 등이 어떤 형태의 폭력을 저질렀는지는 살짝 뉴스만 살펴봐도 알 수 있다. 그들만의 리그에서는 훌륭한 사람이라고 추앙받지만, 리그 바깥 이들에게는 상처를 남긴 이들이 얼마나 많은지 우리는 오랜 시간 목격했다. 수많은 미투 운동과 'OO 내 성폭력'을 통해서. 그들의 악행은 현재진행형이다.

나는 누가 누구에게 좋은 사람이라는 표현을 쓸 때, 발화자와 상대의 위치를 생각한다. 추상적인 언어 대신 구체적인 위치를 신뢰하기 때문이다.

내가 신이라면, 당신과의 관계성에
　　　　새로운 이름을 붙이리라.
친구도 애인도 아닌, 당신의 이름을.

사이하테 타히, 『사랑이 아닌 것은 별』(마음산책, 2020)

가피와 조재와 나는 오랜 시간 비슷한 얘기를 나눴다. "우리 관계를 뭐라고 표현해야 할지 모르겠어요. 가족 같은 사이? 동료? 친구? 대안 공동체? 다 충분하지 않은 느낌이에요." 만난 지 10년이 넘은 우리 셋은 서로의 나이를 모른다. 가피는 이제 이십 대 중반이 되었을까? 조재는 삼십 대 초반? 아마 두 사람도 내 나이를 모를 거다. 나이나 학교 등 인적 사항은 모르지만, 우리는 서로가 어떤 강점을 가졌는지 무척 잘 안다.

가피는 노래를 만들고 부르며, 그림과 글과 영상을 활용해 자기가 바라보는 세계를 표현한다. 주위 사람이 좋아하는 일을 찾도록 프로젝트를 기획하고 실행하는 일을 잘 해낸다. 가피는 그 일을 할 때 가장 보람을 느낀다고 한다. 조재는 역동과 고요를 품은 사람이다. 바이크를 타고 자연을 달리는 것을 즐기며, 특공무술을 포함해 각종 운동과 몸 쓰는 일을 잘한다. 섬세하게 세상을 바라보고 그만큼 섬세하게 그림을 그리고 글을 쓴다.

내가 글을 쓰게 된 것, 가피가 공개적으로 노래를 만들고 부르게 된 것, 조재가 그림을 그리게 된 것은 서로가 서로를 알아봐주었기에 가능했다. 나는 여러 사람의 흔적을 품고 지금이 되었지만, 두 사람은 특히 내게 진하게 배어 있다. 우리는 오래전부터 좋아하는 이들과 마을을 일궈서 서로를 돌보며 늙어 가자고 이야기 나눴다. 이렇게 미래를 상상하면서도 영원을 약속하지는 않는다. 각자의 자리에서 사는 모습 그대로를 지켜보며 가만히 응원한다. 침묵 속에서도 서로를 향한 애정을 느낄 수 있다.

이 관계에 어울리는 이름을 찾으려 시도했다. 친구도 애인도 가족도 아닌 고유한 이 관계를 뭐라 부를까 고민만 하다가 10년이 흘렀다. 관계 정의는 진작 포기했지만, 다만 연락할 때마다 이 한마디는 꼭 붙인다. 고맙고 사랑합니다.

그녀는 스스로의 주인으로 존재할 수
있는 시간이 항상 모자랐다.
사람이 한 사람의 그림자로 존재하는
사건을 더 자주 겪었다.

김소연, 『사랑에는 사랑이 없다』(문학과지성사, 2019)

누구의 아내, 누구의 애인, 누구의 무엇. 한 사람을 수식하는 표현 중에 관계로 판단하는 수식어를 나는 경계하려고 노력한다. "노력한다"고 말하는 이유는 노력해야만 겨우 가능한 일이기 때문이다. 나도 모르게 몸에 익힌 나쁜 습관 중에는 작은 단서 하나로 그 사람을 안다고 추측하는 오만함이 있는데 그중 누구와 어떤 관계라는 수식어는 간편한 만큼 위험하다.

내가 태어나고부터 엄마와 아빠는 '승은 엄마, 승은 아빠'로 불렸고, 그 때문인지 두 사람은 네가 잘해야 우리가 욕먹지 않는다며 신신당부했다. 그 시기에 엄마는 주로 '중대장 사모님'으로 불렸다. 두 사람이 이혼했던 열다섯 살에는 이혼 가정의 딸이라는 수식어가 나를 삼켰다. 부모의 계급에 따라 자녀의 성품이나 미래가 점쳐지는 모습도, 누구와 사귀는지에 따라 평판이 달라지는 모습도 익숙하게 보고 자랐다.

가족이나 연애 관계는 개별적인 존재를 쉽게 덩어리로 흡수해 버린다. 가족도 연애도 여느 관계처럼 영원을 보장하지 않는 고유한 개개인의 만남일 뿐인데, 그 관계만을 신성시해 가장 주요한 정보로 묶어 버리는 거다. 그 사람은 누군가의 아내이기도 하지만, 누구의 친구이고 동료이고 이웃이고 보호자이고 자기 자신인데. 특히 사회적 권력이나 유명세에 의해 한 사람이 다른 한 사람의 그림자가 되는 모습을 볼 때면 찜찜함이 가시지 않는다.

그래서 나는 누군가의 가족 관계나 연애 관계를 최대한 모르려고 노력한다. 꼭 필요한 서사가 아니라면 그런 식으로 상대를 판단하고 싶지 않아서 그렇다. 내가 그림자가 되길 거부하는 것처럼, 내 곁의 누구도, 당신도 그럴 테니까. 그 수식어에 담기기에 우리는 너무 복잡하고 넓으니까.

접촉을 원하면서도 접촉을
두려워한다. 하지만 나약함과
친밀함을 느끼고 표현하는 능력이
있는 한 우리에게 아직 기회가 있다.

올리비아 랭, 『이상한 날씨』(어크로스, 2021)

내 앞에는 현과 '홍시'가 있다. 현은 가을을 맞이해 나를 보러 왔다. 카페에서 만난 우리는 왜 가을이 되면 일상을 채우는 다채로운 감정이 사라지고 외로움만 남는지 모르겠다고 토로했다. 이야기꾼인 현은 여느 날과 다름없이 끝내주게 망한 지난여름의 연애 얘기를 들려줬고, 나도 지지 않고 지질한 에피소드를 꺼냈다. 우리는 왜 외로울까? 태어나는 순간 엄마와 떨어지면서 몸에 깊이 새겨진 감정인 걸까? 이런저런 이야기를 나누는데, 현이 가방에서 홍시 하나를 꺼내 책상 위로 건넸다. 주먹 크기의 홍시는 다홍빛으로 익었다.

현은 나에게 홍시와 관련된 에피소드를 들려줬다. 지난여름은 현에게 혼란의 시기였다. 관계가 엉망이 되던 그 무렵 현은 미워지는 것들이 늘어갔다. 그중에는 몇 년째 살고 있는 낡은 집도 포함되었다. 오래된 그 집을 가리켜 현은 "레트로, 그야말로 진짜 레트로"라고 표현했다.

몸을 누이는 공간까지 미워하며 혼자라고 느끼던 어느 날, 현은 집 앞 감나무 아래에서 감을 따는 주인집 할아버지를 만났다. 할아버지는 현을 불러 세우더니, 돌아가신 할머니가 현을 참 예뻐했다며 감 다섯 개를 현의 품에 안겨 주었다. 며칠 뒤, 현은 할아버지가 돌아가셨다는 부고를 들었다. 현은 그 오래된 집을 구하는 과정에서 노부부에게 얼마나 대가 없이 사랑받았는지, 긴 사랑의 역사를 들려주었다. 현은 차마 그 감을 먹지 못하고 곱게 익혀 홍시로 만들었다. 아끼는 사람들에게 같은 사랑을 돌려주기 위해 하나씩 품앗이하는 중이라고 말했다.

"다정하게 함께 썩는 거, 그게 함께 사는 거구나 싶어요. 내가 나를 파먹느라 얇아질 때 사랑을 준 이들이 있더라고요. 대가 없는 사랑을 준 이들이요."

겸손함, 취약성, 감수성,
의존성을 체험할 수 있게
만드는 고통은 우리가 너무 빨리
"해소하려고" 하지만 않는다면
중요한 자원일 수 있다.

주디스 버틀러, 『불확실한 삶』(경성대학교출판부, 2008)

초콜릿을 먹을 때면 식탁이나 책상에 몸을 바짝 당긴다. 혹시라도 초콜릿을 떨어뜨리게 되면 내 발 언저리를 맴도는 반려견 참새와 달이가 주워 먹을 수 있으니 주의를 기울여야 한다. 나에겐 달콤한 행복을 주는 이 작은 음식이 개들에게는 생명을 위협하는 음식이라는 사실을 알았을 때부터 나에게 초콜릿은 조심해야 하는 음식이 되었다.

개들과 산책 나갈 때는 배변 봉투를 꼭 챙긴다. 공원에서 다른 개들이 싼 것으로 보이는 변을 발견할 때면 봉투가 허락하는 한 최대한 담으려고 한다. 공원을 청소하는 노동자를 위해, 그리고 인간 때문에 동물을 미워하게 되는 어떤 마음이 두려워 반려견의 보호자로서 할 수 있는 작은 실천이다.

면도날이나 깨진 유리 조각처럼 뾰족한 것을 버릴 때는 신문지나 낡은 종이에 꽁꽁 싸서 테이프로 밀봉한다. 분리수거를 할 때면 내용물을 비우고 세척해 내놓는다. 어느 책에서 환경미화원과 재활용 처리장 노동자들이 뾰족한 것에 자주 다치고, 플라스틱에 묻은 음식물이나 내용물을 닦아내느라 손이 성할 날이 없다는 글을 읽었다. 그 뒤로 쓰레기를 버리는 손이 무거워졌다. 내 손을 떠난 그것은 꼭 누군가의 손으로 옮겨갈 테니까.

비거니즘을 실천하려고 노력하는 것도 같은 이유였다. 살아가는 동안 여러 생명에 의지하며 폐를 끼치는 인간 동물인 나에게는 일정한 두려움이 필요하다. 내가 누리는 일상이 다른 생명을 찌른다는 감각. 완벽하지 않더라도 노력하려는 마음. 이런 것들을 기억하려고 애쓴다. 어떤 두려움은 존재를 고립시키지만, 어떤 두려움은 다른 존재와 연결되어 있는 감각을 생생하게 일깨운다. 그 연결감을 안고 기꺼이 몸을 낮춘다.

내가 속한 '연구 3팀'은
서무 선생님과 나를 제외하고는 모두
이공 계열의 유부남 박사들이었다.
그들은 아침밥을 차려 주는 전업주부
아내와 두 명의 자녀로 구성된 4인
'정상 가족'을 이상적인 삶의 형태로
여기는 2020년대의 희귀종이었다.

『2021 젊은작가상 수상작품집』, 전하영 「그녀는 조명등 아래서
많은 시간을 보냈다」(문학동네, 2021)

무엇도 단순한 진실은 없지만, 사랑의 이슈는 복잡한 미로 같다. 어릴 적 즐겨 보던 디즈니 만화와 크게 다르지 않은 모습으로 낭만적인 연애와 정상 가족을 찬양하는 미디어들, 그것을 보며 사랑을 학습하는 우리들. 온통 사랑만 강요하는 세상에서 금지되고 배제되는 사랑들. 청소년은 안 되고, 장애인은 안 되고, 동성애자도 안 돼. 트랜스젠더는 안 돼. 노인도 안 돼. 대놓고 배제되지 않더라도 배제되는 존재들. 여자 혼자 살기는 위험하니 남자가 있어야 안전할 거라는 반쪽짜리 진실들. 친밀한 관계에서 매맞고 죽임당하는 여자의 이야기는 지워 버리는 사랑의 환상들.

이성애자가 아니어도, 비장애인이 아니어도, 나이에 상관없이 누구나 사랑할 수 있으며, 사랑하지 않아도 괜찮다는 수많은 권리를 기존의 사랑 담론은 담지 못한다. 미로는 복잡해 보이지만, 결국 정상적인 혼인과 재생산을 위한 출산으로 연결된 단순한 직선이니까. 그곳에 머문다면 누구나 언제든 금을 밟을 수 있다. 금을 밟으면 '개, 돼지만도 못하다', '짐승이냐'는 식의 비난을 들을 수 있다. 물론, 나는 개나 돼지 같은 비인간 동물이 인간 동물보다 훨씬 무해하다고 믿기에, 그 말을 욕으로 쓰는 인간 동물이 이해되지 않지만 말이다. 우리는 미로 밖에서 보면 터무니없는 그 규칙이 전부인 것처럼 서로를 가둔다.

하지만 낡은 미로에서 벗어나 각자의 길을 걷는 이들도 있다. 사랑이라는 추상어를 재해석하는 움직임들. 로맨스나 성애 관계가 아니어도 기꺼이 서로를 돌보는 친구와 이웃을 사랑이라고 부르는 이들. 사랑이 하나의 형태가 아님을 믿는 이들. 그들의 걸음에 맞춰 나도 내 길을 걷는다. 사랑이라는 추상어는 뒤로하고, 지금 내 앞에 주어진 관계를 책임지며 살아간다. 어떤 모습이어도 괜찮다는 진실만을 안고.

자기 자신만을 다루는 글쓰기는
죽음에 관한 글쓰기일 수도 있지만,
죽음에 관한 글쓰기는
만인에 관한 글쓰기다.

앤 보이어, 『언다잉』(플레이타임, 2021)

아픈 새벽은 고독하다. 식구들이 깨지 않게 소리 낮춰 유튜브를 보며 얼음찜질을 해도 피부를 떼어 내고 싶은 통증과 가려움에 이리저리 뒤척였다. 몇 년째 내 몸에 자리한 피부염이 꽤 혹독하다. 지쳐서 멍하니 누우면 생각이 올라온다. '새해부터 다시 일상 루틴을 잡아 기뻤는데, 며칠 사이 약 먹고 바르는 것 외에 다른 일을 못 했네. 또 반복이네.' 침대에서 혼자 하는 생각은 대체로 해롭다.

이대로 안 되겠다 싶어 응급으로 책을 찾았다. 『언다잉』은 미국의 시인 앤 보이어가 유방암과 함께한 시기를 기록한 에세이다. 병원 대기실에서, 병실에서, 침대 위에서 작가가 기록한 글을 읽으며, 나는 기록된 고통이 현재하는 고통과 연결되는 순간에 빠졌다. 그건 마취 같기도, 위안 같기도, 연대 같기도 했다. 그렇게 밤새 책을 읽었다. 책을 덮을 때쯤 해가 떴고, 잠에서 깬 식구들에게 간밤에 내가 얼마나 외롭고 힘들었는지 하소연했다.

곧바로 병원에 가서 진찰받고 전신 광선 치료를 받았다. 집에 돌아와 알약 다섯 개를 삼키고 약을 발랐다. 조금 살 만해지니까 궁금해진다. 글은 어떻게 지금을 견디는 힘을 줄까. 고작 글이, 겨우 글이 어떻게 그럴까. 앤 보이어 역시 비슷한 연대감을 느꼈던 것 같다. 그녀는 비슷한 질병을 겪은 오드리 로드, 수전 손택, 샬럿 퍼킨스 길먼 등 많은 여성 작가를 언급한다.

책의 추천사를 쓴 전희경 선생님은 말한다. "만약 이 책의 어느 구절에서 멈추고 밑줄을 긋게 된다면, 바로 거기에서부터 또 자신의 이야기를 써 가면 좋겠다. 누군가와 함께, 누군가를 위해." 글을 잘 쓰고 싶은 마음이야 원래 있었지만, "누군가와 함께, 누군가를 위해"라는 문구를 보고 잠시 방학이었던 글 수업을 다시 시작하고 싶어졌다. 함께 살고 싶어서, 함께 쓰고 싶다.

애인이 아흔아홉 겹의 나를
사랑해야 하듯이 나도 애인의
여러 겹을 사랑해야 한다.
결핍, 아, 결핍. 우리는 일흔아홉 개의
결핍을 사랑해야 한다.

문보영, 『사람을 미워하는 가장 다정한 방식』
(쌤앤파커스, 2019)

"오늘은 울적이야, 심통이야, 냉소야?"

곁에 있는 이에게 그림자가 느껴질 때마다 나는 묻는다. "울적해서 냉소가 섞인 상태야." "아무 생각 없이 멍한 상태야." 이렇게 대답을 들으면 안심이 된다. 옆 사람의 영향을 잘 받는 나는 상대를 내 마음대로 해석하거나 오해하기 싫어서 묻는다. 당신이 지금 슬픈 표정을 짓는 이유가 나 때문은 아닌지, 슬픈데 화가 난 거라고 나 혼자 착각하는 건 아닌지.

이건 나에게도 해당되는 방법이다. 습관처럼 우울하다고 말하고 싶을 때마다 세밀하게 표현하려고 노력한다. 우울한 줄 알았는데 배가 고픈 거였네. 외출하지 않아서 몸이 무거운 상태였군. 밀린 원고가 있어서 마음 졸이는 상태였구나, 그럼 글을 쓰자.

나도 나를 잘 모르고 지나칠 때가 많은데, 타인을 알기는 더욱 어려우니 우리는 서로를 알 수 있는 단서를 제공한다. 어떤 때는 수치로 몸과 마음의 상태를 질문한다. "오늘은 1부터 10 중에 몇이야?" "오늘은 6.5 정도?" 수치에 따라 서로의 거리를 조절한다. 가끔은 제안하기도 한다. "지금 기분이 2면, 나랑 카페 가서 책 읽으면 5로 올라가지 않을까?" 이런 말에 상대가 피식 웃으면 절반은 성공이다.

애인과 동거하는 '한'은 서로의 여러 모드를 새로운 언어로 표현한다. 화날 때는 '티라노 한'으로, 슬플 때는 '비에 젖은 휴지 한'으로 불린단다. 감정에 따라 이름이 붙으면 그 감정을 존중하는 동시에 다시 웃을 힘이 생긴다고 했다.

내 안에는 백한 가지 그림자가 있을 거다. 나보다 무난한 성격의 반려인 우주에게는 오십 가지 그림자가, 또 다른 반려인 지민에게는 이백 가지쯤 그림자가 있을지 모르겠다. 우리는 서로의 결핍을, 그 촘촘한 여러 겹을 마주하며 매일 새롭게 만나고 새롭게 헤어진다.

내 질문은, 만약 내게 질문이란
것이 있다면, '내가 누구인가'가
아니었다. '나는 어떤 사람들
사이에 있는가'였다.

클라리시 리스펙토르, 『G.H.에 따른 수난』(봄날의책, 2020)

'나'라는 주어가 비대해질 때가 있다. 그럴 때면 지겹게 반복한 질문이 폭포처럼 쏟아진다. 나는 무엇을 할 수 있을까? 내가 원하는 건 뭐지? 쏟아지는 질문 끝에는 대부분 냉소적인 문장이 남는다. 나는 쓸모없어. 이대로 아무것도 하지 못할 거야. 아무도 나를 이해하지 못할 거야. 이 시간만은 모두가 나를 미워하고, 나도 모두를 미워할 수 있는 시간이다.

답이 없는 '나' 도돌이표에서 빠져나올 수 있는 유일한 길은 항상 외부에 있다. 새벽녘 도착한 친구의 문자 한 통, 아파서 돌봄이 필요하다는 누군가의 신호, 우연히 뉴스에서 본 슬프고 불의한 일들. 그런 일에 반응하다 보면 낡은 질문을 벗어나 있다. 친구의 안부를 물으며 답장하고, 아픈 반려인과 반려견을 돌보느라 섬세해지며, 마땅히 분노할 일과 애도할 일에 집중한다.

이십 대 초반, 한창 나를 찾겠다고 여행을 계획하고 각종 심리 검사와 글쓰기에 심취했던 시기가 있었다. 그때 은을 만났다. '나'로 시작하는 고민을 풀어내자, 은은 이렇게 말했다. "'나는 누구일까' 대신, '나는 누구와 어떻게 살고 싶을까'로 질문을 바꾸는 것만으로도 많은 게 풀리더라고요." 가끔 SNS로 소식을 엿보면 은은 여전히 타자를 돌보는 글을 쓴다. 더위나 추위에 상관없이 집회에 나가고, 유기견 센터에도 정기적으로 봉사 활동을 나간다. 항상 소외된 곳을 향하는 은은 '나'의 구렁텅이에 빠질 일이 분명 적을 거다. 은은 관계를 직시하는 사람이니까. 은처럼 나도 이미 촘촘한 관계망 안에 존재하지만, 은은 그 사실을 잊지 않는 사람이고 나는 그 사실을 자주 잊어버리곤 하는 사람이다. 그게 은과 나의 차이일 거다. 은의 말처럼 질문을 바꾸는 일은 내 세계를 바꾸는 일이다. '나'에서 '관계'로 시선을 확장하는 일. 아니, 이미 이어진 관계를 제대로 보는 일.

우리가 무엇을 원하는지
모색하는 일은 일생의 과업이며,
계속해서 하고 또 해야 하는 일이다.

캐서린 앤젤, 『내일의 섹스는 다시 좋아질 것이다』
(중앙books, 2022)

"당신에게 성적 권리란 무엇인가요?" 성적 권리와 재생산 정의를 위한 센터 '셰어'의 자립 응원 파티에서 나온 질문이다. 파티 당일, 나를 포함해 각 분야의 활동가 여섯 명이 게스트로 나란히 무대에 앉았다.

'장애여성공감'의 진은선 활동가는 "아무도 궁금해하지 않는 장애 여성의 욕망을 실천할 권리"라고 표현했다. 장애인의 성을 보호해야 하거나 문제 행동이라고만 보는 사회의 전제와 달리, 장애 여성은 이미 각자 자기만의 성적 실천을 하고 있다는 사실을 언급하며 장애 여성의 욕망을 드러낼 권리를 말했다. 관계의 주도권을 갖고 자신이 원하는 것을 치열하게 고민하고 실패할 기회가 필요하다고 덧붙였다. '난민인권센터'의 김연주 활동가는 말했다. "사랑하는 사람을 만나고 선택하고 또 헤어지는 자유, 성적 권리가 보장되기 위해서 한국에서의 안정적인 체류 그리고 주거, 환경, 복지 제도 등의 기본적인 뒷받침이 매우 중요하다고 생각합니다."

청소년 페미니스트 네트워크 '위티'의 유경 활동가는 "'청소년도 섹스할 수 있어' 이상의 말이 필요하다"고 했다. 청소년과 소수자가 무엇을 금지당해 왔는지, 어떤 기준으로 금지되었는지를 파고들어 평등하게 합의할 수 있는 기반을 만들기 위한 논의가 필요하다는 것이다. '행동하는성소수자인권연대'의 남웅 활동가는 성소수자에게 향하는 과잉 성애화와 현실에서 성적 실천 사이의 간극을 짚으며 권리를 말했고, 섹스토이샵 'RYX' 주아현 활동가는 "편견 없이 편안한 침대"라고 말했다. 나는 "난잡하고 모순적이고 불확실한 나만의 서사를 쓸 권리"라고 말했다. 파티가 끝난 뒤에도 나는 질문을 서성이고 있다. 각자의 위치에서 가진 성적 권리가 얼마나 개별적인지, 또 얼마나 연결되어 있는지를 실감하기 때문이다. 당신에게, 성적 권리는 무엇인가요?

다른 사람을 사랑한다는 건
상실과 고통의 가능성을 함께
받아들이는 것이다.

페니 원서, 『우리는 모두 돌보는 사람입니다』
(위즈덤하우스, 2021)

잠에서 깨니 새벽 2시. 조금 전까지 눈앞에 생생하게 펼쳐졌던 꿈을 기억하고 싶어서 핸드폰 메모장을 켰다. 꿈속에서 나는 오래전 헤어진 그와 함께였다. 우리는 버스터미널에 있었고, 그와 내 손에는 정반대의 목적지가 적힌 티켓이 있었다. 꿈에서도 예감했다. 5분 뒤 각자 버스를 타면 우리는 다시 만나지 못하겠구나. 그렇게 생각하니 간절해졌다.

5분 동안 그의 손을 잡고 마음을 전했다. "내 한 시절에 네가 있어 줘서 기뻐. 내가 열이 펄펄 끓을 때, 밤새 젖은 수건으로 몸을 닦아 주던 네 모습이 떠올라. 잠든 사이 부엌에서 새어 나오던 김치찌개 끓이는 냄새도. 끊임없이 이어지던 대화와 어긋나던 순간들. 그런 작은 순간들에 나는 사랑을 느꼈어. 헤어진 뒤에 모든 걸 부정하려고 했던 거 미안해. 그 시간을 부정하지 않을게. 고마운 마음만 남길게." 고스란히 마음을 전하고 우리는 각자의 버스에 탔다. 버스가 출발할 때는 마음이 아팠지만, 곧 편안해졌다.

꿈을 기록하다가 이제 내가 그를 원망하지 않는다는 사실을 발견했다. 헤어지고 한동안 나는 그를 미워했다. '어떻게 나한테 그럴 수 있어?' 그는 내게 나쁜 사람이어야 했다. 그래야만 나를 지킬 수 있을 것 같았다. 그건 언뜻 나를 위로하는 일처럼 보였지만, 한 시기와 그 시간만큼의 사랑을 부정하는 일이기도 했다. 제대로 이별하지 못한 채 몇 번의 악몽을 꿨다. 꿈에서 나는 계속 억울하고 화가 난 사람이었다.

나는 사랑을 표현하는 데도 서툴지만, 특히 이별에 서툴다. 아마 평생 서툴 거다. 그래도 상대를 미워하는 방법으로 한 시절의 반짝임을 지우고 싶진 않다. 메모장 마지막에 나는 적었다. "뒤엉킨 감정이 가라앉은 적막한 자리를 더듬는다. 늦었지만, 진심으로 고맙다고 말할 수 있게 되었다."

최초이자 최후의 독자가 되어 주는
사람이 편집자로,
마치 마라토너의 페이스 메이커처럼
내 옆에 있었다.

은유, 『출판하는 마음』(제철소, 2018)

누군가 직업을 물어보면 프리랜서 집필 노동자라고 답한다. 그럴 때마다 "와, 글 쓰는 일 힘들지 않아요?"라는 질문만큼이나 꼭 듣게 되는 질문이 있다. "혼자 쓰면 외롭지 않아요? 자기 이야기를 쓰는 건 엄청 용기가 필요한 일이잖아요. 두렵진 않아요?" 이 질문들에는 공통으로 '혼자'라는 단어가 포함되어 있다. 프리랜서는 혼자서 무엇이든 뚝딱 만들고 책임지는 사람이라는 이미지 때문이다.

그때마다 나는 단 한 번도 혼자 쓴 적이 없다고 답한다. 출간하기 전에는 함께 쓰고 서로의 글을 읽어 주는 동료들이 있고, 집필 노동자가 된 이후에는 내 글의 첫 독자이자 공저자나 마찬가지인 편집자가 곁에 있으니까. 불안과 강박이 있는 나에게 편집자라는 존재는 나를 계속 쓰게 만드는 최측근의 동료이다. 글 앞에서 외로움과 두려움을 느끼고 한없이 작아질 때 나보다 나를 믿어 주는 사람. 편집자라고 이름 붙여진 동료가 없었다면 내 글은 절대 세상에 나오지 못했을 거다.

첫 번째, 두 번째 단행본을 함께 만든 고 이환희 편집자. 세 번째 책을 함께 만든 강설애 편집자. 네 번째 책을 함께 만든 이은정 편집자. 그리고 이 책을 함께 만드는 사공영, 김은우, 김은경 편집자. 편집자들은 각자만의 다정한 방식으로 나를 쓰게 만들었고, 내 글의 가장 열렬한 독자가 되어 주었다. 또한 더 잘 읽히도록 함께 고민해 주었고 무엇보다 내가 나를 믿을 수 있도록 힘을 주었다. 나는 든든한 동료들과 매일 함께 글을 쓴다.

어느새 빛바랜 책 표지를 바라볼 때면 여러 순간이 떠오른다. 단어 하나, 띄어쓰기, 소제목과 제목, 목차 구성까지 하나하나 의논하고 때론 갈등하며 좋은 책을 세상에 내놓자고 마음을 합쳤던 순간을 추억한다. 작가는 정말로 함께 쓰는 사람이 맞다.

하다못해 '취미는 사랑'이라면
낭만적이기나 하지, '취미는
오픈 릴레이션십'이라고 하는 순간
어쩐지 로맨스 카테고리가 아니라
사건 사고 쪽일 것 같지 않은가
이 말이다.

민지형, 『나의 완벽한 남자친구와 그의 연인』
(위즈덤하우스, 2021)

다큐멘터리 영화 『두 개의 선』에는 10년간 연인이자 동거인으로 지낸 지민과 철이 등장한다. 두 사람은 둘의 관계에 법과 제도, 어떤 다른 관계도 끼어들길 바라지 않아 비혼을 지향한다. 어느 날, 임신테스트기에서 두 개의 선을 발견한다. 그들은 결혼 제도 밖에서 아이를 키울 방법을 고민하며 카메라를 든다. 우리는 결혼을 하게 될까, 안 하게 될까.

웃음과 눈물이 담긴 평범한 일상을 기록한 이 영화를 보고 생각했었다. 막연하게 결혼하고 싶지 않다고 생각했는데, 자기 삶으로 직접 부딪치는 사람들이 있구나. 내가 이상한 게 아니구나. 그 뒤로도 미디어나 사회에서는 잘 드러나지 않아 어딘지 낯설다고 여겨지는 다양한 관계를 마주했다. 여성이 여성을 사랑하거나 트랜스 남성과 비트랜스 여성이 사랑하는 모습. 꼭 연애나 혈연이 아니어도 반려인으로 함께 늙어가는 노인들의 모습. 비혼, 동성애, 트랜스젠더, 우정 같은 단어로 함축하기에 각 관계는 보다 입체적이었다.

여전히 미디어에는 4인 정상 가족이나 이성애, 일대일 연애를 중심으로 하는 소개팅 프로그램이 넘쳐난다. 혼자 사는 사람들의 이야기가 인기를 끌어도 언젠가 결혼할, 임시 상태라는 전제는 크게 변하지 않았다. 세상에는 다양한 사랑법이 있다. 정확하게는 다양한 관계 맺음이 있다. 나는 독점하지 않고 사랑하는 관계를 지향한다. 내 지향을 공개했을 때 수많은 비난을 들었다. 내 존재가, 우리 관계가 틀렸다는 말을 들었다. 기준에서 벗어난 사람들은 계속해서 이런 손가락질을 받아 왔을 테지. 『두 개의 선』 주인공 지민과 철이 '굳이' 카메라를 들었던 이유를 알 것 같았다. 그래서 나도 굳이 표현한다. 다채로운 관계 중 하나로, 이런 나도 있다고 말하기 위해.

인간이라면 누구나 참여하고
연루되며 그 속에서 살아가야
하는 것이 바로 돌봄 관계다.
이 보편성을, 이 불가피성을,
이 공동의 운명을 '시민적 돌봄'이라
이름 붙이면 어떨까?

전희경 외, 『새벽 세 시의 몸들에게』(봄날의책, 2020)

반려인 칼리는 작가이자 무당이다. 칼리는 글쓰기를 굿판에 비유한다. 사람들이 모여 신명 나게 한을 푸는 자리를 마련하는 게 글을 쓰는 행위라고 말한다. 몇 달 동안 원인 모를 피부염으로 고생했다. 통증에 잠이 깬 새벽, 칼리의 말이 떠올라 글을 썼다. 써야만 그 순간을 견딜 수 있을 것 같았다. 피부염 때문에 일상이 제한되고 새벽마다 가려움과 통증에 뒤척이는 지금이 슬프다고 썼다.

글을 공유한 뒤, 끊이지 않고 메시지가 왔다. 아는 사람, 이제 알게 된 사람, 모두 나와 비슷하게 아팠던 경험을 들려주었다. 피부 때문에 괴로웠던 경험이 있기에 내 글을 그냥 지나칠 수 없었다며 한참 스크롤을 해야 다 읽을 장문의 글을 보낸 사람도 여럿이었다. 그들은 내 아픔을 공감해 주었고, 어떤 병원이 왜 좋았는지, 생활 속에서 무엇을 조심했는지 정성스레 적어 주었다.

코로나 확진을 받고 치료 중이던 대구의 민도 연락이 왔다. "승은 글을 읽고 저도 울어요. 괜찮지 않다고 말하고 나눌 수 있는 이들이 있어서 다행이에요. 승은의 하루가 무사히 지나가면 좋겠어요. 마음 보내요." 최근 난소 종양 제거 수술을 받은 초도 메시지를 보냈다. "우리 아파도 미안하지 않기로 한 거 잊지 않았죠? 동병은 아니지만, 상련이지 뭐예요. 나중에 우리 아픔이 어떤 부분에서 닮았고, 어떻게 달랐는지 꼭 이야기 나눠요!"

수많은 메시지를 읽으며 이렇게 많은 이가 외롭게 보냈을 각자의 새벽을 상상했다. 그 외로움을 잊지 않고 나에게 시간과 정성을 들여 메시지를 보낸 마음을 생각했다. 점점 약해지고 아파 오는 몸을 공유하는 공동의 운명을 가진 우리. 그래서 우리를 우리라고 부르는 거겠지, 생각했다.

어느 누구도 이야기해 주지 않던
내 안의 진심이 마치 기적처럼
처음 보는 타인의 입술에서
흘러나왔다. 나는 메마른
가슴을 적셔주던 그날의 환대를
아직 기억하고 있다.

박목우 외, 『질병과 함께 춤을』(푸른숲, 2021)

"승은 씨는 화를 표현할 수 있나요? 자기를 자책하진 않나요?"

"승은 씨가 힘들 때 기꺼이 곁을 내주는 관계가 있나요?"

심리상담 센터가 아닌, 피부염 때문에 찾은 병원에서 이런 질문을 듣게 될 줄 몰랐다. 내가 겪은 대다수 병원의 풍경은 공장 같은 모습이었다. 순번을 기다린다. "홍승은 씨, 들어오세요." 호출하면 진료실에 들어가 최대한 신속하게 아픈 곳을 말한다. 주사를 맞거나 약을 처방 받는다. 의사의 성향에 따라 태도는 조금씩 달랐지만, 다음 환자를 위해 최대한 간략하게 아픈 곳만 말하고 빠져 주는 게 마땅한 수순이었다.

최근 몇 년 동안 만성 피부염을 겪으며 여러 병원을 전전했다. 각종 검사를 받았지만, 피부염의 원인이 되는 변수가 워낙 많아 뚜렷한 이유를 발견하기 어렵다고 했다. 의사를 붙잡고 "저, 나을 방법은 없는 건가요?" 간절히 물어도 돌아오는 건 항생제, 항히스타민제, 스테로이드 같은 약물 처방이었다. 어떤 의사는 말했다. "여자들은 피부에 뭐가 나면 예민해지죠. 미용 때문에요." 나는 미용이 아니라 고통 때문에 괴롭다고 말했다. 주기도 기척도 없이 올라오는 붉은 병변. 내 몸을 치료할 수 있는 유일한 전문가에게 무심하고 아픈 말을 들을 때마다 절망했다.

이웃의 소개로 찾아간 서울의 한 한의원에서 나는 뜻밖의 질문을 받았다. 한의사는 내 배에 퍼진 병변들을 보더니 많이 힘들었겠다고 위로하며 다양한 질문을 했다. 눈물이 찔끔 나왔다. 이 눈물의 정체는 뭐지. 그간 조금씩 쌓였던 병원과 의사에 대한 거리감과 불신이 녹는 것 같았다. 그 한의원에 다녀와 단번에 염증이 가라앉은 건 아니지만, 적어도 내 아픔을 공감해 주는 의사가 있다는 사실만으로도 안심이 되었다. 그 안도감은 힘이 컸다.

내가 나 자신을 인정하고
받아들여도, 나아가 커밍아웃을 해도
이 사회는 계속 그대로였다.
다른 사람처럼 결혼을 할 수 있는
자격이 부여되는 것도 아니었고
갑자기 혐오 밖으로 탈출하게
되는 것도 아니었다.

김철수, 『보통 남자 김철수』(브라이트, 2022)

그의 집은 나에게 천국이었지만, 나는 그 집에서 투명인간이 되어야 했다. 청소년이었던 나는 가끔 그의 집에 놀러 가서 고스톱도 치고 음식도 해 먹었다. 내 신발은 그의 옷장에 들어갔고, 내 몸도 옷장에 들어가는 일이 종종 있었다. 청소년기의 여자는 남자애 집에 놀러 가서는 안 되었으니까. 성인이 되어 결혼하지 않고 살고 싶다고 마음먹었을 때도 상황은 비슷했다. "어떤 사이예요?"라고 묻는 부동산 중개업자나 가스 검침원 앞에서 애인이라는 말은 모호한 대답이었다. 그들은 내 말을 "아, 곧 결혼할 사이구나"라고 정리했다. 가끔 상대의 등기를 대신 받을 때면 우리 관계는 '친척'으로 표시되었다.

외국에서 혼인 신고한 신과 우는 40대 여성들이다. 언젠가 신은 말했다. "침대를 사려고 가구 매장에 간 적이 있어요. 매장에 들어가서 직원에게 신혼 가구를 보러 왔다니까 계속 묻는 거예요. '누가 결혼하세요? 어느 분이 사용하시는 거예요?' 그때 제가 말했어요. '저희 둘이 쓸 침대예요. 저희 신혼살림을 장만하려고 왔어요.' 그때 직원분의 동공이 흔들리는 게 보였어요. 그분에게는 어쩌면 동성애자와의 첫 마주침이었을까요?" 이렇게 말하는 신은 웃고 있었고 나도 따라 웃었다. 다정하고 유쾌한 두 사람을 만나면 자주 웃게 된다. 그만큼 자주 울게도 된다. 둘은 혼인 신고를 했지만, 한국에서는 법적 효력이 없어서 제도적인 권리와 보장이 비껴간다.

편견, 혐오, 차별, 커밍아웃. 이 단어를 안고 살아가는 주위의 많은 얼굴을 떠올린다. 왜 어떤 관계는 투명해지고, 내몰리고, 농담처럼 취급될까. 오랜 차별 앞에서 오늘도 울고 웃는다. 그렇게 존재한다.

선한 사람 당신 곁에
나는
작은 화분을 두고
어제와 오늘을 키운다

유희경, 『이다음 봄에 우리는』, 「선한 사람 당신」
(아침달, 2021)

"오늘 동백이 봉오리가 생겼어!"

지민이 가리킨 곳에는 손톱만 한 크기의 빨간 봉오리가 있었다. 지민은 "동백이가 잘 자라고 있어. 사랑스럽지"라며 기뻐했다. 덩달아 기분이 좋아진 나도 답했다. "정말 아름답다. 화원에서 동백이는 꽃이 잘 안 필 수도 있다고 했는데, 지민이 마음을 동백이도 아나 봐."

지민의 생일은 양력으로 1월 31일이다. 추운 겨울 태어난 따뜻한 사람. 우주와 칼리와 나는 지민의 깜짝 생일파티를 준비하려고 며칠 전부터 분주했다. 엽서에 빼곡하게 편지를 쓰고, 건강한 채식 밥상과 작은 화분을 준비했다. 그게 동백이었다.

동백이는 화원에 들어가자마자 눈에 띄었다. "이건 무슨 나무예요?" "동백나무예요. 겨울에 꽃이 피는 나무예요." 그 말을 듣자마자 추운 날에 태어난 따뜻한 사람 지민이 떠올랐다. 망설이지 않고 동백을 품에 안았다. 화원 사장님은 말했다. "동백나무에 중요한 건 햇빛이에요. 해를 많이 보게 해 주세요."

생일 파티는 성공이었다. 지민은 우리가 쓴 편지를 읽다가 눈물을 또르르 흘렸다. 그날 이후였을까. 잔잔한 변화가 시작된 건. 한동안 우울증 탓에 어두운 방, 밤, 꿈에 머무는 시간이 길었던 지민이 햇살 아래 머무는 시간이 늘었다. 자신처럼 아픈 이들과 연대하기 위해 상담 일기를 기록하고, 차별금지법 제정 집회에 나가고, 일상을 잘 살아가려고 노력한다. 물론, 아침마다 동백을 해가 잘 드는 곳으로 옮기는 것도 잊지 않는다.

선한 사람은 마음이 투명해서 세상의 탁한 기운에 걸려 넘어진다. 선한 사람들이 추위 속에서도 일상을 피울 수 있으면 좋겠다. 그러려면 곁에 있는 나와 우리는 더 따뜻해져야 해. 웅크린 마음에 해가 들 수 있도록. 작은 동백 봉오리가 무사히 피어나길 기도했다.

내일은 또 어떤 방식으로
사랑스러워져 볼까

김하늘, 『샴토마토』「블랙커브스홀」(파란, 2016)

이십 대와 삼십 대의 서이는 한 평화단체의 활동가였다. 물론, 서이에게는 활동가 말고도 다양한 모습이 있다. 집을 가득 채운 반려 식물을 잘 돌보고, 친구들을 초대해 맛있는 채식 음식 대접하길 좋아하고, 몸으로 박자도 잘 타고 허밍도 잘한다. 자연을 좋아해서 주기마다 한번씩 국내외로 여행을 다닌다.

서이의 다양한 면 중 큰 비중을 차지해 보였던 단체를 그만두었을 때, 사람들은 서이에게 물었다. "혹시 단체 내에 갈등이 있었어요?" "무슨 문제가 있었어요?" "어디 아파요?" 그때마다 서이는 뭐라고 답해야 할지 어려웠고, 특별한 문제나 갈등이 없는데 왜 그만두는 거지, 스스로도 질문을 곱씹었다고 한다.

서이는 우연히 본 한 인터뷰 기사 이야기를 해 주었다. 오랜 시간 몸담았던 직장을 왜 그만두었느냐고 인터뷰어가 묻자, 인터뷰이는 답했다. "최선을 다해 사랑했던 것 같아요. 사랑이 지나간 것 아닐까요?" 서이가 내게 말했다. "정말 그 말이 맞더라고요. 저는 정말 그 일과 단체와 활동을 사랑했어요. 제가 할 수 있는 최선을 다해 사랑했어요. 이제 무엇을 더 할 수 없겠다 싶어서 그만두게 된 거 같아요. 진한 사랑이 지나간 느낌이에요."

그러게. 사랑이었을 거다. 서이의 이삼십 대를 채운 지난 시간 앞에서 '대의'나 '직업' 같은 단어는 건조하다. 부족하다. 서이는 말했다. "이제 무엇을 해야 할지, 무엇을 배울지, 어떻게 살지 잘 모르겠어요. 근데 일단 여행을 떠나려고요. 다음은 그때 생각하면 되겠죠?" 나는 서이의 말에서 막막한 미래가 아닌, 불확실한 설렘을 느꼈다. 서이는 이제 무엇을 사랑하게 될까? 무엇이 되었든 깊이 사랑하는 서이의 모습이 그려졌다. 서이가 차려 준 시금치 파스타를 오물오물 씹으며 그녀의 미래를 상상했다.

이브, 이 말을 하게 해 줘.
미안하다, 정말 미안해.

이브 엔슬러, 『아버지의 사과 편지』(심심, 2020)

"승은아, 애비가 못나서 너희들을 힘들게 했지. 미안하다."

아빠가 나에게 사과했던 날을 기억한다. 내가 서른 살이 되었던 가을이었다. 그날 나와 동생, 엄마, 아빠는 오랜만에 한 공간에 둘러앉았다. 어릴 때는 네 식구가 모이면 공기가 서늘했다. 언제 갑자기 아빠가 화를 낼지, 엄마와 아빠가 싸울지 가늠할 수 없어서 동생과 눈치를 살피기 바빴다. 아빠가 동생 머리에 쓰레기통을 쏟아부었던 일, 성적이 조금 떨어졌다고 자고 있던 내 얼굴에 얼음물을 끼얹은 일, 뺨을 때린 일, 매번 가슴을 찌르고 찢었던 아빠의 말. 10년도 더 지난 그 일들이 내 속에서는 무한 반복되는 현재였다.

그날 나와 칼리는 아빠에게 말했다. "아빠, 우리에게 사과해줘." 처음에 아빠는 허허 웃으며 무슨 말이냐고 물었다. 우리는 그간의 기억을, 상처를 하나둘 꺼냈다. 울먹이기도, 조금 격양되기도 했다. 아빠는 눈이 동그래져서 "내가 그랬다고?"라며 진심으로 놀랐다. 그 모습에 엄마와 나와 칼리는 더 놀랐다. 장난이 아니라 아빠는 정말로 기억을 못 했다. 오히려 "애비 놀리지 마라"며 점점 불쾌한 티를 냈다. 아빠는 정말 기억하지 못하는구나. 눈치를 보는 것도, 상처를 기억하는 것도 우리였다. 이번이어야 한다는 생각이 강렬하게 들었다. 아빠가 했던 일을 꼭 알게 하고 싶었다. 아빠도 이제 우리의 상태를, 마음을 살필 책임이 있으니까. 오랜 대화 끝에 아빠는 말했다. "미안하다. 정말 미안하다." 어느새 네 사람 모두 훌쩍이고 있었다.

몇 시간의 대화와 사과로 상처가 아물 리 없지만, 어릴 때는 꿈도 꾸지 못했던 진심 어린 사과 앞에서 눈물이 뚝 떨어졌다. 아빠와 같은 기억을 공유하며 살아가는 것만으로도, 우리에게 어떤 희망이 있다고 믿고 싶다.

화순으로 갔을 때 나는 번식견들의
삶에 끼어든 것이 아니라 그들이
사는 장소를 잠시 방문한 것이었다.
내가 관찰한 것은 그들의 일상도
아니었다. 나는 그들이 구조되고 난
후의 어느 하루를, 그 하루의
몇 시간을 목격했을 뿐이었다.

하재영, 『아무도 미워하지 않는 개의 죽음』(창비, 2018)

"승은, 다음 주에 남양주 보호소 봉사하러 갈래요?" 동료 작가의 제안으로 동물 보호소에 갔다. 큰 컨테이너 건물에 수십 마리의 개들이 있었다. 맡은 일을 하는 동안 동료는 틈틈이 곁에 와서 이야기해 줬다. "얘네는 울진 산불 현장에서 구조해 왔어요. 꼬물이도 다섯 마리나 있어요. 이곳에 있는 개들은 대부분 학대받다가 구조되었어요. 품종견들은 번식장에서 구조되었고요."

이름도 없이 지내던 개들은 이곳에 오면 이름이 생긴다. 울타리 앞에는 개의 이름과 성격, 특성, 아픈 곳이 정리된 메모가 각각 붙어 있다. 갈색 털에 움직임이 차분한 포엠이 유독 눈에 들어왔다. 그윽한 눈빛을 가진 포엠은 만난 지 두 시간도 안 돼서 벌러덩 배를 보이며 친근함을 표시했다. 눕기 전엔 볼 수 없었던 포엠의 배와 젖꼭지에는 몇 번일지 모를 출산의 흔적이 남아 있었다. 포엠에게 일어난 일들을 포엠에게 듣고 싶다는 생각을 하다가 지금 내 앞에서 세상 편안한 표정의 얼굴에 집중하기로 했다. 한참동안 포엠을 보며 부드러운 털과 온기를 느꼈다.

최근 내가 사는 마을에 '펫숍'이 또 하나 생겼다. 밖에서 보면 촘촘하게 쌓인 투명 아크릴 상자가 보이고, 상자에는 손바닥 크기의 강아지들이 있다. 개들과 산책 다닐 때면 나는 그곳을 흘겨본다. 저 개들은 어디에서 온 걸까. 포엠 같은 개들이 오늘도 좁은 우리 안에서 임신과 출산을 반복하고 있겠지. 누군가 쇼핑하듯 개를 사고 버리겠지. 그렇게 매년 10만 마리 이상이 버려지겠지. 기껏 애완동물 가게를, 인간 동물을 미워하는 게 다인 내가 무기력하다. 목격한 존재, 공범인 존재의 책임을 생각하다가 실천하고 싶은 문장을 눌러 적었다.

주기적으로 봉사 다니기. 종차별 반대 운동 동참하기. 따뜻한 체온을 사랑하는 마음을 힘으로 삼기.

통증이 몰려와서,
나는 스스로를 부둥켜안는다.
이것은 가능성이다.

성, 『남은 인생은요?』(미디어일다, 2020)

열두 살 때 라디오에서 우연히 자우림의「미안해 널 미워해」를 들었다. 흠뻑 빠진 나는 이 곡만 담긴 테이프를 갖고 싶어서 밤새 라디오를 듣다가 노래가 나오면 녹음 버튼을 눌렀다. 그렇게「미안해 널 미워해」로만 채운 테이프를 만들었다.

나에게 자우림은 비밀 일기장 속 친구 같은 존재였다. 처음「낙화」를 들었을 때의 충격을 기억한다. 학교와 집에서 내몰려 죽음을 선택하는 청소년의 이야기인데, 그 노래가 학교에 가기 싫어 아침마다 눈 뜨기 두려웠던 열여섯 나에게 위안을 주었다. 김윤아의 솔로곡「Girl talk」를 들으며 서른이 되었을 때 나는 어떤 모습일까 상상했고,「봄이 오면」을 들으며 희망보다 절망이 컸던 봄을 보냈다.「청춘예찬」을 들으며 위태로운 시절을 버텼고,「레테」를 들으며 사람들 속 외로움을 달랬다. 문득 지금의 인연이 사무치게 감사한 날에는「샤이닝」을 들으며 곁에 있는 존재들을 그리워했다.

어느 가을, 포항 바다가 보이는 넓은 공터에서 자우림 공연을 봤다. 멀리서 자우림 멤버들이 악기를 세팅할 때부터 팔에 소름이 돋았는데, 본격적으로 노래가 나올 때 나는 엉엉 울고 있었다. 흔들리던 시기를 함께한 사람들과 같은 공간에 있다는 사실이 벅찼다. 노래를 듣는 동안 무언가 내내 그립고 고마웠다.

공연이 끝나고 집으로 돌아오는 길. 아쉬운 마음에 사막처럼 펼쳐진 밤바다 앞에 차를 세우고 노래를 들었다. 노래와 함께 지난 시간이 살아났다. 타인의 시선에 상처 받고, 세상에 적응하지 못하는 나를 의심하고 미워했던 시간, 한때는 진심이었던 사람, 소화하지 못한 감정, 다정하게 함께 걸어 주던 노래, 그때의 인연, 장면, 감촉. 지금의 나를 지어 준 것들이 사라지지 않고 곁에 있었다.

내가 지나쳤던 모든 사람과 사랑이,
실은 지나친 게 아니라 그렇게
내 안에 굳어져 내가 되었다는 것을
나는 라오에게 말하며 깨달았다.

천선란, 『어떤 물질의 사랑』(아작, 2020)

오래된 인터뷰 지면에서 기자는 묻는다. "카페를 닫게 된 계기는 무엇인가요?" 4년간 운영하던 '인문학카페 36.5°'의 문을 닫던 시기에 한 인터뷰였다. 과거의 나는 이렇게 답했었다.

"카페를 열고 적자를 면하지 못한 달이 거의 없었어요. 월세는 계속 오르고. 돈에 대한 부담이 차곡차곡 쌓였어요. 여러 이유가 있지만, 무엇보다 함께 활동했던 팀원들과 제가 변화하는 존재이기 때문에 카페라는 한 점에서 더 머무르기 어렵게 된 이유가 커요. 저와 팀원들은 어느 순간 마음이 통해서 카페에서 만나 함께 성장했고, 이제는 각자의 길을 걷게 되었어요. 물리적으로는 거리가 생겨도 앞으로도 함께 활동할 거예요. 각자의 영역에서. 또 어느 순간 한 점에서 모이는 날이 있을 거라고 믿어요. 그게 조만간이 될 수도 있고요."

그 인터뷰 이후 5년이 지났다. 최근 나는 오랜만에 커피 머신을 만진다. 일산의 한 책방에서 일요일마다 책방지기로 일하게 되어서다. 카페를 운영하던 시간을 까마득하게 잊고 있었는데, 몸은 기억하고 있었다. 그라인더로 원두를 갈고 적당한 압력으로 템퍼를 눌러 에스프레소를 뽑는 일. 익숙한 원두 향과 몸의 움직임이 반가웠다.

이 소식을 전하자 함께 카페를 운영했던 동료 조재가 놀러 오겠다는 메시지를 남겼다. 또 다른 동료 가피는 조만간 내가 사는 마을로 이사를 온다고 했다. 춘천에서 함께한 우리가 일산에서 다시 만나게 되었다. 우리는 만나면 서로에게 고맙다는 말을 빼먹지 않는다. 왜 얼굴만 봐도 고맙다는 말이 자동으로 나오는지 궁금했는데 이제 알겠다. 몸에 익은 커피 머신 작동법처럼 몸에 익은 우리 관계가 계속 사랑할 힘을 주었다. 서로에게 익은 몸과 마음으로 다시 만날 날을 기다리는 봄이다.

다른 사람에게 진심을 다하는
자신을 발견한 순간, 사치오는 아마
더는 자신을 하찮다고
여기지 않게 되었을 것이다.

이환희·이지은, 『들어 봐, 우릴 위해 만든 노래야』
(후마니타스, 2021)

일 년에 한두 번 카톡 메시지를 정리한다. 한때 뜨거웠다가 이제는 잠잠해진 단체 채팅방에서 슬쩍 나오고, 광고 메시지를 지운다. 어느새 대화창은 열 개 이하로 줄어 있다. 정리하다 보면 제일 아래에는 지우지 못한, 지울 수 없는 대화창이 남아 있다. 2020년 7월 31일 금요일 저녁의 대화창이다.

　나: 헤헤 선생님! 다음엔 꼭 산책해요.
　환희: 네ㅎㅎ 어제부터 날이 참 좋네요.

　선생님이 항암 치료를 받던 시기에 나눈 대화이다. 얼마 뒤 선생님의 병이 더 깊어져 나는 식구들과 병문안을 갔다. 그리고 얼마 뒤 호스피스 병동에서 의식이 없는 선생님을 만났다. 나는 손을 잡고 반복해서 말했다. "선생님, 고맙고 사랑합니다. 선생님이 있어서 제가 쓸 수 있었어요."
　고 이환희 선생님은 내 처음과 두 번째 단행본을 함께 작업한 편집자이자 이웃 주민, 세계관을 공유한 동료였다. 지금보다 내가 더 소심하던 시기, 글 앞에서 숨고 싶을 때마다 그는 도망치는 나를 붙잡으며 말했다. "작가님, 저는 작가님의 이야기를 믿어요. 그 이야기가 세상에 필요하다고 믿어요." 내 글이 선정적이라고, 편협하다고, 그러니까 너는 쓰면 안 된다고 누군가 말할 때 나는 선생님을 떠올린다. 글을 쓰는 매 순간, 숨고 싶거나 세상에 진저리 치며 놓고 싶을 때도 선생님을 떠올린다. 넘치도록 받은 진심을 사소하게 여기고 싶지 않아서 계속 글을 쓴다.
　선생님은 다른 사람에게 진심을 다하는 자신을 발견할 때 자신을 더는 하찮게 여기지 않게 될 거라고 했다. 나는 이제 확신할 수 있다. 그 진심을 받은 사람 역시 더는 자신이 하찮다고 느끼지 않는다고.

우리가 여자도 남자도 아니고
그저 탈색된 뼈다귀일 때,
당신이 변하고, 연인이여,
당신의 모든 감각이 사라지고 나면,
당신이 사랑하게 되는 건 내가 아니오.
당신은 모두를 사랑하게 되는 거야.

뮤리엘 루카이저, 『어둠의 속도』「그들이 뭐라고
하느냐면」(봄날의책, 2020)

몇 달 전에 보라는 처음 연애 관계라는 걸 맺게 되었다며 소식을 전했다. 며칠 전 다시 만난 그녀는 연인이라는 틀이 자신에게 맞지 않다는 사실을 알게 되었다며 이별 소식을 전했다. "언니, 제가 그 사람을 만난 뒤로 쓴 일기를 봤거든요? 근데 하루도 빠짐없이 이 관계를 정리하고 싶다고 적은 거예요. 이런 식의 관계는 맺고 싶지 않다, 이건 내가 원하는 관계가 아니다, 그런 생각을 계속했어요." 겉으로만 보면 연인과의 이별 과정으로 보였지만, 자세히 보면 자신에게 맞는 사랑과 관계의 방식을 치열하게 고민한 그녀의 시간을 느낄 수 있었다.

보라는 석 달간 애인으로 묶여 있던 상대에게 마음을 표현했다. "나는 '연인'이라는 관계 규정이 안 맞는 것 같아. 나는 너뿐 아니라 사랑하는 존재가 정말 많거든. 그들을 사랑하는 마음과 너를 사랑하는 마음에 어떤 위계가 있지 않아. 우리가 연인이라는 틀로 묶여 있으니까 오히려 너에게 더 많은 역할을 기대하게 된다는 것도 깨달았어. 너 역시 그럴 거고. 나는 서로의 영역을 존중하며 관계 맺어 왔는데, 이런 방식으로 만나니 자연스레 서로를 침범하게 되더라고. 나에게는 그게 안 맞는 옷이라는 걸 알았어."

상대는 "네가 아직 어려서 그래. 너 정말 이상하다"고 반응했고, 보라는 모두를 사랑하는 것처럼 너를 존중하며 사랑하고 싶다고 말했다. 그 말속에는 나도 존중받고 싶다는 의미가 포함되어 있었다. 사랑이 상대를 가질 권리이며, 상대방의 영역을 침범하고 통제해도 괜찮은 약속이라 믿는 세계에서 보라가 꿈꾸는 예의 바른 사랑은 '사랑 없음'으로 평가되곤 한다. 오랜 시간 보라의 사랑을 받아 온 나는 안다. 보라는 사랑을 훼손하지 않기 위해 치열하게 애쓰는 사람이라는 걸.

혼자 있는다는 것, 그 모든 다양한
형태는 연습이 필요한 기술이다.
고독은 어려운 일이다. 자신을
돌볼 의욕이 있어야 하고, 자신을
달래고 즐겁게 하는 능력이
있어야 한다. 사교적인 생활을
가꾸는 것도 역시 어려운 일이다.
위험을 감수해야 하고, 기꺼이
취약해질 줄 알아야 한다.

캐럴라인 냅, 『명랑한 은둔자』(바다출판사, 2020)

봄을 맞이해 방 배치를 바꿨다. 침대를 바라보던 책상을 창가 쪽으로 옮기고, 4년 동안 창가 쪽을 차지한 옷장도 벽 구석으로 밀어 넣었다. 배치만 조금 바꿨을 뿐인데 방이 낯설어졌다. 책상 앞에 앉거나 침대에 누우면 처음 이사하던 날이 떠오른다.

반려인들과 함께 살기 위해 집을 구하러 다니던 몇 년 전, 우리가 가장 중요하게 생각한 공간의 조건은 각자만의 방과 공용 공간이었다. 주머니 사정이 여유롭지 않았지만, 공간 분리만은 포기할 수 없었다. 건물이 좀 낡아도 공간 분리가 가능한 곳을 찾기로 했다. 이십 대에 자취를 시작하며 주로 원룸에서 생활했던 우리는 여러 동거 경험을 통해 얇은 벽이라도 있는 공간이어야 둘 이상이 함께 살 수 있다고 결론 내렸다.

동거란 함께 있고 싶으면서도 혼자이고 싶은, 복잡한 마음을 공유하는 일이다. 마주 보며 한참 깔깔 웃다가도 침대에 벌러덩 누워 조용히 쉬고 싶은 욕구를 인정하고, 속이 시끄러워 서로에게 집중하지 못할 때 "오늘은 혼자 쉴게"라고 말할 수 있는 분위기를 만드는 일. 내 우울과 불안이 상대까지 가지 않고 상대의 것이 나에게 오지 않도록 서로를 지키는 일. 도움을 요청한다면 언제든 손 내밀 수 있는 거리에서 묵묵히 곁을 지키는 일.

각자의 리듬을 존중하기 위해 우리는 시기마다 각자의 방을 가꾼다. 자기만의 방을 갖고 가꾸는 일은 관계를 돌보는 일이기도 하니까. 오늘은 오전 내내 방을 정리했으니, 저녁에는 함께 영화를 보고 싶다. 식구들이 괜찮다고 하면 오늘 밤엔 나란히 소파에 앉아 끝내주는 영화를 볼 수도 있겠다.

그래, 더 큰 고통을 가지고 와.
　　　　　　내 사랑

박서원, 『박서원 시전집』「소명 1」(최측의농간, 2018)

관계의 삐걱거림을 느끼는 순간은 사소한 계기로 찾아온다. 왜 이렇게 딱딱하게 메시지를 보내지? 내가 잘못했나? 평소였다면 생각 없이 지나칠 한 줄의 메시지 앞에서 나는 우울행 급행열차를 탄다. 초등학생 때 나를 따돌렸던 친구의 얼굴이, 영문 모른 채 끊어진 인연이 떠오른다. 관계는 정말 피곤해. 부딪칠 일 없는 먼 곳으로 떠나고 싶다.

고작 메시지 하나로 세상 끝날 것처럼 우울해하는 내 모습이 지질하게 느껴져서 칼리 방문을 똑똑 두드렸다. 칼리와 나는 온갖 지질한 모습을 공유하는 사이여서 이런 모습을 보여도 부끄럽지 않다. 시간은 밤 12시. 잠자리를 정리하던 칼리는 무슨 일 있느냐고 물었고, 나는 메시지 하나로 시작된 우울한 마음을 털어놓았다. 가만히 내 얘기를 듣던 칼리는 말했다.

"언니, 상대가 언니를 사랑한다는 건 언니도 알잖아. 소통 방식이 달라서 오해가 생긴 거 아닐까? 그럴 땐 서툰 방식으로 사랑받고 있다고 생각해 보면 어때?"

"그러게. 맞아. 나 또 방어적으로 굴었어. 밤에 부정적인 생각이 떠오르면 멈출 수가 없어. 근데 칼리 말 들으니 생각이 멈췄어. 고마워." 내 말에 칼리가 어리둥절한 표정으로 말했다. "이거 언니가 예전에 나한테 해 줬던 말인데 기억 안 나? 내가 사람들 다 밉다고 했을 때 언니가 해 준 말이야." "내가 그런 말을 했었어? 나 좀 멋있다." 우리는 서로를 보며 깔깔 웃었다. 맞다. 나는 내가 한 말도 자주 까먹고, 상대와 내가 서툴더라도 서로에게 마음 쓰고 있다는 사실도 자주 잊는다. 잊지 말아야지. 서로를 존중하지만 가끔 삐걱댈 때마다 기억해야지. '우리는 각자의 서툰 방식으로 사랑하고 있다.' 문장 속 사랑에 진한 밑줄을 긋는다.

건강 문제를 겪는 친구의 '곁에
있어 준다'는 건 과연 무슨 뜻일까?
내가 만난 어떤 여성들에게 그건
아프다는 말을 했을 때 그저 자기를
믿어 준다는 의미일 수 있었다.

미셸 렌트 허슈, 『젊고 아픈 여자들』(마티, 2022)

열여섯 살 때 단짝 친구 이소는 자주 약속을 취소했다. 이소와 약속을 잡을 때면 마음의 준비가 필요했다. 당일에 갑자기 아파서 못 나온다고 하겠지. 나는 이소를 미워하고 싶지 않아서 그와의 약속을 흐릿한 글자로 체크하곤 했다. "승은아, 미안해. 아침부터 열이 나서 오늘 나가기 힘들 것 같아." 아무리 마음을 먹고 있어도 막상 취소되면 서운했다. 화가 나기도 했다. 나는 다른 일정을 다 비웠는데, 넌 왜 이렇게 무책임해?

20년이 지났다. 요즘 내가 사람들에게 자주 하는 말 중에는 "죄송해요"가 있다. 제가 갑자기 공황 증상이 심해져서요, 피부염이 나아진 줄 알았는데 아침부터 다시 번지기 시작했어요, 어지럼증이 심해서 일어나기도 힘든 상황이에요, 오늘 나가기 어려울 것 같아요, 약속을 지키지 못해 죄송합니다…. 이런 말들을 하면서 나는 계속 작아진다. 아픔은 소나기 같아서 나는 아픔을 예측할 능력이 없다. 당일에 취소하는 건 예의가 아닌데, 당일 아침에 몸이 아프면 미안한 마음에 등이 한껏 굽어진다. 무리해서 나가 본 적도 있지만, 그 시간에 집중할 수 없으니 미안하기는 마찬가지였다.

미래를 약속할 수 있는 몸은 누구에게나 주어진 조건이 아니라는 걸 뒤늦게 배우는 삼십 대. 용기 내서 미안하다고 보낸 메시지에 "미안하다는 말 대신 푹 쉬면 좋겠다"는 답장을 받으면 눈물이 핑 돈다. 나 역시 아프다는 소식을 들을 때 그가 죄책감으로 괴로워하지 않길 바라며 진심을 다해 그의 아픔을 듣는다. 아픔을 믿는다. 이런 태도를 열여섯에도 알았다면 다양한 몸과 관계 맺는 법을 빨리 익힐 수 있었겠지. 그랬다면 이소와 나, 수많은 우리가 아픔을 미안해하던 시간이 그토록 길지 않았을 거다.

곁을 내준다는 건 단지 개인의 의지의 문제가 아니다. 내가 나로서 살 수 있고, 내가 맺고 있는 관계가 사회적인 편견으로부터 자유로울 때, 우리는 비로소 서로에게 의지할 수 있고 도움을 요청할 수 있다.

김순남, 『가족을 구성할 권리』(오월의봄, 2022)

이십 대 시절 연애는 내게 생존을 위한 유일한 선택지로 보였다. 주거와 수입이 불안정하고, 각종 만성질환을 안고 살며, 원가족의 돌봄까지 떠안아야 했던 나는 혼자 살아갈 능력도 기력도 없었다. 적어도 애인이라는 존재가 있어야 내 상황을 이해하고 돌봐줄 것 같았다.

이별이 죽음만큼 두려웠던 건 이런 이유 때문이다. 사랑이라는 감정 속에 내 생존과 절박함이 뒤섞여 있었기에 설령 그가 소리 지르고 위협하더라도 그 관계를 쉽게 떨치지 못했다. 그러니까 겉으로 나는 사랑에 미친 여자로 보였겠지만, 살려고 발버둥 치는 중이었던 거다. 그 관계만이 유일한 희망으로 보였기에.

적당한 거리를 유지하며 서로를 돌보는 관계. 언제든 흩어지고 뭉칠 수 있는 관계. 이런 이상적인 관계가 가능하려면 언제든 이 관계를 떠나도 각자의 삶이 무너지지 않을 거라는 믿음이 필요하다. 그 믿음은 주거와 수입, 다양한 돌봄의 관계망 같은 토대가 있을 때에야 가능하다. 혈연이나 연인이 아니어도 서로의 바닥을 살뜰히 챙길 수 있는 관계에 대한 상상력, 그런 게 있을 때 모두에게 평등하게 관계를 협상할 힘이 생긴다고 믿는다.

나에게 관계의 '정의'는 내가 나로 살기 위해 필요한 개인적 '권리'와 같은 말이다. 그래서 나는 평등과 정의, 주거권과 생존권, 가족 구성권을 비롯한 다양한 권리를 언급할 수밖에 없다. 그게 없다면 현실의 존재와 관계들은 위태로울 수밖에 없으니까. 위태로움은 개개인의 선한 노력만으로 채우기엔 너무 빈틈이 많으니까. 도움을 요청할 때, 누군가가 도움을 청할 때, 폭력적인 관계를 끊을 때, 그런 순간에 망설이는 시간이 줄어들면 좋겠다. 그렇게 각자에게 맞는 시간을 살 수 있으면 좋겠다.

그리고 이제는 자유다.

샬롯 퍼킨스 길먼, 『내가 마녀였을 때』(더라인북스, 2021)

한 여자가 침대에 파묻혀 울고 있다. 남편 매로너가 바람을 피웠다. 상대는 함께 사는 젊은 하녀 예르타. 게다가 예르타는 남편의 아이를 가졌다. 만약 이 이야기가 흔한 서사로 흘렀다면, 두 여성은 서로를 증오하며 파멸로 이끌 거다. 하지만 여자는 문득 생각한다. 이것이 정말 불륜인가? 남편과 예르타 사이의 지위나 나이 차이 등 여러 조건을 고려했을 때, 하녀 예르타는 남편의 접근을 거부하지 못하는 상황이었을지 모른다. 그때, "강하고 확실하며 압도적인 새로운 감정이 피어올랐다. 바로 이런 짓을 저지른 남자를 비난하는 감정이었다."

여자는 예르타의 손을 잡고 남편의 집을 나간다. 훗날 남편이 그녀를 찾아갔을 때, 여자는 결혼하기 전의 이름인 '휠링'으로 살아가고 있었다. 예르타와 휠링은 정원이 딸린 집에서 함께 아이를 기른다. 그녀들 앞에 나타난 그에게 "매로너 씨의 아내였던 여자가 조용히 묻는다. 우리에게 할 말이 뭐지?"

위 이야기는 샬롯 퍼킨스 길먼의 『내가 마녀였을 때』에 실린 단편소설 「전화위복」의 내용이다. 지금도 폐쇄적인 가족주의를 벗지 못한 서사가 가득한데, 1860년에 태어난 작가가 무려 150년 전에 새로운 서사를 풀어냈다. 누가 마녀로 불리나? 자기 아이 대신 1,500명의 마을 사람을 구한 여성, 남편의 아이를 가진 여성과 연대하는 여성, 망가져야 할 상황에서도 자신을 신뢰하는 여성, 엄마나 아내가 아닌 나로 살겠노라 선언하는 여성.

소설의 배경은 지금과 별반 다르지 않게 차별의 공기로 혼탁하다. 작가는 멍청한 세상에 섬광처럼 선명하게 존재하는 여성을 뚝 떨어뜨린다. 그녀는 자신을 믿으며 다른 이와 연대하며 살아간다. 책을 덮은 뒤, 앞으로 내가 어떤 상황에 놓이든 내 삶이 망가지지 않을 거라는 사실을 믿게 되었다. 세상이 혼탁해도 우리는 선명하게 존재할 거라는 사실도.

유의미한 기여를 남기는 데는
두 가지 방식이 있다. 하나는
사람들의 눈에 계속 보이는 작품을
만드는 것이고, 다른 하나는
사람들에게 너무 깊이 흡수된
나머지 급기야 사람들이 보는 대상이
아니라 보는 방식이 되어 버리는
작품을 만드는 것이다. 그런 작품은
이제 사람들 앞에 있지 않고,
사람들 속에 있다. 그런 작품에서
중요한 것은 이제 예술가가 아니고,
더는 관객으로만 남지는 않게 된
사람들이다.

러베카 솔닛, 『세상에 없는 나의 기억들』(창비, 2022)

책장 한 칸에 글쓰기 수업에서 만난 동료들이 쓴 책이 있다. 나란히 꽂힌 책등을 볼 때마다 우리가 함께한 시간을 떠올린다. 자신은 글을 못 쓴다고, 이야기를 꺼내기 두렵다며 망설이던 표정과 몸짓들. 시간이 흘러 나와 다른 동료들에게 제 이야기를 또박또박 들려주던 목소리와 그때 공간에 번졌던 고양된 해방감을 떠올린다. 수업이 끝난 뒤에도 동료들은 각자의 방식으로 자기 이야기를 세상에 건넸다.

책방에서 일하던 어느 오후, 누군가 다가와 "홍승은 작가님이시죠?" 묻더니 종이 꾸러미를 건네고 갔다. 꾸러미 안에는 책과 핸드크림, 사탕과 손 편지가 담겨 있었다. 마스크를 써서 알아보지 못했지만, 글쓰기 강연에서 만난 '드므'였다. 드므의 이름으로 출간한 책 속에는 손 편지가 있었다. "제 생에 뒤늦게 만난, 무척 좋은 친구가 글쓰기입니다. 책으로 말을 걸어 주셔서 지금의 제가 있어요." 편지에 적힌 문장을 여러 번 읽었다.

여전히 출간이나 수업을 앞두면 나는 숨고 싶다. 내 글과 말이 투명하게 한계를 드러낼까 두려워 언제든 도망칠 자세를 잡는다. 게다가 출간도 수업도 수량으로 측정되기에, 책이 안 팔리거나 수강생 모집이 안 될 미래를 떠올리면 두려움은 배가 된다. 아무리 더 나은 세계를 꿈꾸며 표현해도 이야기가 팔리지 않으면 그것은 의미 없음, 성과 없음, 수입 없음으로 간편하게 연결되어 버리니까.

잘 팔리는 작가가 되어야 한다는 말. 그건 외면하기 어려운 솔직한 바람이지만, 그게 전부는 아니다. 이야기를 전달할 때의 마음을 떠올리면 그건 정말 전부가 아니다. 이 사실을 책장에 꽂힌 동료들의 책을 보며 떠올린다. 한 사람이 다른 한 사람에게 할 수 있는 최선으로 전하고자 했던 마음을 되새긴다. 측정되지 않는 무언가를 소중하게 여기는 사람이 되고 싶다. 195

이렇게 세상이 일방적으로 나눈
구획들이 선명하게 보일 때면,
우리가 속한 팀과 거기서 하고 있는
취미 활동이 그 영역을 어지럽히고
경계를 흐리는 데 일조하고
있다는 걸 자각하는 것이다.
우리가 지금 하고 있는 운동이
'운동'이 되는 순간이다.

김혼비, 『우아하고 호쾌한 여자 축구』(민음사, 2018)

"축구가 얼마나 재미있냐면 말이죠." 안나의 말은 시작을 알리는 호루라기 소리와 같았다. 그 말에 이끌려 생전 처음 축구를 시작했으니까. 축구는 내게 먼 운동이었다. 초등학생 때 남자애들이 점심시간마다 축구하고 돌아와서 땀을 닦으면, '저게 뭐라고 저렇게 열심이지?' 정도로만 생각하고 말았던 무엇. 가끔 응원하는 정도였던 무엇. 그것이 내 일상에도 성큼 들어왔다.

처음에는 잔디밭을 뛰는 것만으로도 해방된 기분이었다. 폼도 슛도 엉망이었지만, 내 발에 닿는 공과 사람들과 함께 뛰며 몰아쉬는 호흡, 바람, 잔디, 모든 게 즐거웠다. 안나는 정기적으로 축구하자고 제안했고, 나와 식구들은 흔쾌히 수락했다.

모든 운동은 노력과 장비빨이라고 했으니 이참에 축구화도 장만하기로 했다. 맞는 사이즈가 없어 한참 헤매다 마지막으로 들른 매장에서 직원이 말했다. "요즘 여성들도 많이 사러 오시더라고요. 축구화는 주로 남성용이나 아동용으로 나와서… 사이즈가 맞는 건 이거 하나 남았어요." 축구를 접하는 일처럼, 축구화를 구하는 일도 쉽지 않았다.

처음 공을 발에 댈 때는 내 마음처럼 움직이지 않는 공이 야속해서 손으로 잡아 던지고 싶었다. 그런데 한 번도 축구를 배운 적 없었다는 반려인들은 공을 발에 붙이고 운동장을 날아다녔다. "뭐야, 안 배웠다며!" "응, 어릴 때 애들하고 그냥 했었지." 그렇다. 배운 적은 없어도 해 본 사람(기회가 주어진 사람)은 달랐던 거다.

매주 화요일마다 동네 친구들과 축구를 한다. 인사이드 스텝과 아웃사이드 스텝, 킥을 연습한 뒤에 경기를 뛴다. 축구공을 들고 운동장으로 향하는 길이면 콧노래가 나온다. 오랜 시간 우리 앞에 그어 놓은 투명하고 뚜렷한 선을 폴짝 넘는다.

내가 배를 잘 집어 놓고 있나? 바지가
엉덩이 사이에 끼지는 않았을까?
여드름이 보이는 건 아니겠지?
머리가 괜찮아 보이려나? 이제 다른
종류의 질문을 던져 보자.

러네이 엥겔른, 『거울 앞에서 너무 많은 시간을 보냈다』
(웅진지식하우스. 2017)

"누나, 오늘은 피부 화장이 좀 뜬 것 같아요." 한과 대화할 때면 어깨가 굳었다. 나는 어제 읽은 책 얘기나 맛있는 보리밥에 대해 말하고 싶은데, 한의 관심사는 오로지 내 외모에만 쏠린다. "누나 헤어 에센스를 잘 발라야겠어요. 머리가 푸석푸석해요." "눈화장이 번진 것 같아요." 한을 만나기 전이면 나는 에센스도 듬뿍 바르고 화장도 공들인다. 만나기 전부터 감도는 긴장감은 대화할 때도 유지된다. 한의 눈동자를 따라가며 나도 내 몸을 훑고, 한이 말하기 전에 나를 점검한다. 이번에는 어딜 보는 거지? 뭐가 잘못됐나?

내가 참고 있는 줄도 모르고 있다가 폭발한 적이 있다. "너는 만나서 할 말이 외모 평가밖에 없어? 외모 신경 끄고 다른 얘기 좀 하자." 그 뒤 한은 나름 조심하려고 노력했는데, 말하지 않는다고 한이 나를 평가하지 않을 거라 믿기지 않았다. 그렇게 한과 멀어졌다.

최근 나는 상대와 대화할 때마다 한의 눈으로 나를 점검하고 있다는 사실을 알아차렸다. 상대의 말을 들으며 고개를 끄덕이고 있지만, 나는 상대의 눈에 비친 내 모습을 보고 있다. 내 앞머리 지금 뭉쳐 있진 않나? 모공이 도드라져 보이면 어떡하지. 아무래도 머리를 묶었어야 했어. 이런 생각을 동시에 하느라 한 시간 정도의 대화만으로도 에너지가 쏙 빠져나간다. 언제부터 내 앞에는 나를 비추는 왜곡된 거울이 자리 잡게 됐을까? 그건 단지 한의 영향만은 아니었을 거다.

거울을 앞에 두고 독백하고 싶지 않다. 상대를 보며 대화하는 사람이 되고 싶다. 오래된 거울을 치우고 질문을 바꾸는 연습을 한다. "내가 올바른 결정을 내렸나? 오늘은 무엇을 배우게 될까? 내 기분이 어떻지? 지금 내게 뭐가 필요하지? 내 주변 사람들에게는 뭐가 필요할까?"

누군가 나에게 전언을 보낼 때
나는 대답할 의무가 있다. 이것이
윤리적 주체로서 내가 해야 할
일이다. 대답을 하기 위해서는 우선
그 전언이 나를 향한 것이었음을
인정해야 하고, 가능한 한 제대로
이해하려는 최선의 노력을
기울여야 한다.

인권운동사랑방, 『수신확인, 차별이 내게로 왔다』
(오월의봄, 2013)

'아-아, 아아-' 벽 안에서는 대통령 취임식을 앞두고 마이크 테스트가 한창이다. 의미 없는 소리를 뚫고 뚜렷한 목소리가 들린다. "차별금지법을 제정하라!" 2022년 5월 5일, 차별금지법 제정 촉구 농성장에 갔다. 10분만 서 있어도 이마가 붉게 달아오르는 5월의 오후 1시, 60여 명의 사람이 국회 앞에 모였다. 피켓을 옆구리에 끼고 국회 벽을 둘러싸고 앉았다. 차별을 금지하라는 상식이 오랜 시간 법제화되지 못하고 있었고, 더는 미룰 수 없어 시작한 게 단식 농성이었다.

"그날은 청소년 성소수자 위기지원센터 띵동과 기후위기 행동 멸종반란 등 다양한 단체와 개인이 함께했다. 두 시간의 동조 단식이 끝나고 농성장 앞에는 벌겋게 익은 얼굴들이 하나둘 모였다. 발언 시간이 이어졌다. "이 순간도 기댈 곳 없는 청소년 성소수자가 있습니다." "차별을 먹고 자라는 성장주의에 제동을 걸어 기후 위기를 해결합시다." 25일째 단식 중인 미류는 말했다. "지금 벽 안에는 수많은 언론사가 와 있습니다. 우리는 계속 말하는데, 누구도 제대로 듣지 않습니다. 그래서 더 말해야 합니다.""

이 글은 모 일간지의 책 소개 지면에 『수신확인, 차별이 내게로 왔다』를 소개하며 쓴 글의 일부다. 글에서 언급한 차별금지법 제정 촉구 집회를 마치고 헤어지기 전, 차별금지법 제정연대 활동가 H가 혹시 지면에 이 이야기를 써 줄 수 있냐고 물었다.

집에 돌아와 노트북을 켰다. 일 년 넘게 연재하며 관성으로 쓰는 날도 있었는데, 이번에는 달랐다. 구체적으로 나를 부르는 목소리가 생생하게 들려서 주어진 지면을 허투루 쓰면 안 되겠다는 마음이 들었다. 그 마음으로 썼다. 누군가 목숨 걸고 외쳐야 하는 권리가 누구에게는 쉽게 음소거할 수 있는 차별에 대해. 목소리를 수신한 이의 책임에 대해.

그때의 불안과 이질감과 죄책감은
이후로 내 안에 계속 남아 있고,
기회 있을 때마다 끌어내져 나를
다시 들여다보게 한다.
그 들여다봄이 거듭될수록
나는 차차 편해지고,
나 자신이 되어 가는 것을 느낀다.
그게 나다.

최현숙, 『삶을 똑바로 마주하고』(글항아리, 2018)

경험이 축적되면 지혜가 쌓일까? 현명하게 관계 맺을 수 있을까? 이런 질문을 하며 할머니가 된 내 모습을 상상하곤 한다. 상상 속 할머니는 여전히 서툴다. 잘못된 선택을 하고, 충동적으로 일을 저지르고, 누군가와 상처를 주고받는다. 온통 서툰 할머니에게서 그래도 다행인 점 하나를 발견한다. 여전히 헤매고 슬퍼하더라도 적어도 내 몫이 아닌 감정에서 조금은 자유로워졌을 거라는 것.

어릴 때부터 내게는 주위에서 일어나는 모든 아픔을 내 탓으로 돌리는 버릇이 있었다. 엄마가 힘들어서 술 마시는 것도 내 탓. 아빠가 불행한 것도, 동생이 우울한 것도 내 탓. 모두 내 탓이라고 생각했다. 내 탓이라고 해도 달라지는 건 하나도 없었다. 내가 어찌할 수 없는, 그들의 세계에서 벌어지는 일 앞에서 자책해 봤자 남는 건 무기력과 슬픔뿐이었다.

모든 걸 내 책임으로 떠안던 버릇과 멀어지는 연습을 해 왔다. 처음부터 내 것이 아니었던 책임을 구분하려 노력하면서. 아빠에게 '네 엄마 또 술 마신다. 넌 딸이 돼서 뭐 하냐'는 메시지가 와도, 엄마가 다시 술을 마셔도 그 일들이 내 곁을 통과하게 둔다. 예전 같으면 며칠 내내 나를 괴롭혔을 말, 사건, 감정과 거리 두는 법을 익히고 있다.

이렇게 익히다 보면 좀 서툴러도 덜 자책하는 할머니가 될 수 있을 거다. 새로운 관계에 과감하게 뛰어들더라도 모든 어긋남을 제 탓으로만 돌리진 않을 거다. 어쩔 수 없는 일을 받아들일 수도 있겠지. 현명한 할머니까지는 모르겠지만, 적어도 내 것이 아닌 책임에 얽매이지 않는 할머니가 될 수는 있을 것 같다.

아마 앞으로도 오랫동안 나는 사람들
앞에 서면 떨릴 것이다. 갑자기
숨이 가빠오기도 할 것이며, 환청과
망상으로 고통스러운 표정을 짓고
서 있는 나 자신을 응시하게 될지
모르겠다. 그렇지만 이렇게 불빛들을
환하게 켜는 날들이 이어질 때
어쩌면 나는 '상처 입은 치유자'의
모습이 되어 있을지도 모른다.

박목우 외, 『질병과 함께 춤을』(푸른숲, 2021)

글 속의 메이는 자책한다. "나는 사회성이 부족해, 사람들과 만나는 일이 두려워, 떳떳한 딸이자 언니이지 못해." 어느 날, 메이는 자신의 정신 질환을 고백했다. 메이는 예민하고 섬세한 센서를 가져 말 한마디를 꺼내기까지 수백 번 생각하고 작은 눈빛에도 중심이 휘청인다. 이번에도 메이는 반성과 다짐으로 글을 끝냈다. "사회에 맞는 사람이 되고 싶다."

메이의 글에 피드백을 달았다. "메이를 세상에 맞추는 이야기 말고, 메이의 시선으로 세상의 기준을 흔들면 어떨까요? 메이의 위치에서 경험한 이야기가 꼭 필요하다고 생각해요. 건강하고 생산적인, 소위 사회적인 사람이 담을 수 없는 급진성을 메이는 말할 수 있어요." 그 뒤로 메이는 딱딱한 관념을 조금씩 깨어나갔다. 사회성이란 무엇일까. 노동은 무엇일까. 꾸준히 질문하며 단단한 이야기를 써 나갔다.

정신장애인 동료 상담가이자 조현장애 당사자인 박목우 작가는 환청과 망상으로 십 년간 집 밖으로 나오지 못했다. 검은 밤, 할 수 있는 건 몸부림밖에 없었다는 작가는 어느 날 세상 밖으로 걸어 나온다. 몸부림을 감싸 줄 동료를 만난다. 언어를 만난다. 이제 작가는 자신과 같은 슬픔을 경험한 동료들을 상담하는 일을 한다. 어느 북토크에서 작가는 말했다. "이 사회에서는 이윤을 내는 일만을 노동으로 취급하잖아요. 저는 삶을 되살려 내는 것은 무엇이든 노동으로 인정받아야 한다고 생각해요. 저와 비슷한 동료들을 상담하면서 그 사람의 삶을 돌보고 살리는 일이 내가 할 수 있는 일이라고 생각하면 힘이 나요. 몸과 노동, 사랑, 세상을 급진적으로 재정의하며 살아가고 싶어요."

박목우 작가가 그렇듯, 상처 입은 메이가 상처 입은 누군가를 살리는 모습을 상상했다. 메이의 이야기는 어둠의 크기만큼 계속 넓어질 거다.

205

가장 내밀한 감정들을 페이지마다
온통 흩뿌려 놓고, 미처 모르는 사이
이제 눈에 띄게 되었고, 공항에서
옷 속까지 투시하는 보안검색기계
앞에서 사지를 펼치고 있다는
생각과는 반대로, 오히려 당신은
단어 하나하나를 선택해 왔다.

대니 샤피로, 『계속 쓰기: 나의 단어로』(마티, 2022)

합평하기 전에 힘주어 말하는 원칙 중에는 '글 한 편으로 그 사람을 다 안다고 착각하지 않기'가 있다. 글을 통해 우리는 내밀한 이야기를 나눈다. 위험한 걸 알면서도 놓지 못했던 사랑 이야기, 부당한 상황에서 바로 반박하지 못하고 고개 숙인 이야기, 무언가에 중독되어 적극적으로 나를 망친 이야기. 평소에는 아주 소수의 인원과만 공유했던(혹은 혼자 간직했던) 이야기를 글로 써서 다수에게 읽히는 일은 정말 옷을 다 벗고 교차로에 서 있는 것 같은 느낌을 준다. 읽는 사람도 그렇게 느낄 수 있다. 그의 인생이 글 속에 있는 그대로 노출되어 있을 테니 이제 나는 그를 다 안다고 착각한다. 이 부분만 고치면 그의 인생이 나아질 수 있을 거라고 판단한다.

그래서 더 힘주어 말한다. "우리는 글 한 편을 읽었을 뿐이지, 그에 대해 아는 것이 없어요. 이 글 역시 선택한 단어와 문장으로 선택한 이야기를 들려주는 거예요. 그러니까 글 한 편으로 그 사람을 다 아는 것 같은 기분을 경계해야 해요." 합평은 글을 다듬는 시간이기도 하지만, 성급한 판단 회로를 벗어나는 시간이기도 하다.

글만큼 말도 그렇다. 누군가가 나에게 조심스럽게 비밀을 털어놓더라도 그 이야기가 그의 전부가 아니라는 사실을 기억하려고 노력한다. 갑자기 빵에 중독되어 삼시 세끼 빵만 먹기도 하고, 빚을 지면서 쇼핑에 집중하고, 부당한 일에 저항하지 못하고 계속 상처 받기도 하는 거. 그게 그의 전부는 아니니까. 우리는 어딘가 이상하고 모순적인 부분을 안고 삐걱대며 살아간다는 사실을 기억하려 한다. 익히기 어려워서 계속 떠올려야 하는 말을 거듭 곱씹는다. 나는 당신을 모른다.

그녀는 세상에 시간을 함께 보낼
수많은 사람들이 있다는 사실을
알지만, 이제 그녀는 그런 종류의
확신을 필요로 하지 않을 만큼
스스로 안전하다고 느낀다.

재닛 하디·도씨 이스턴, 『윤리적 잡년』(해피북미디어, 2020)

한 차례 마감이 끝나면 소파를 찾는다. 간식 먹고, 넷플릭스 보고, 멍멍이들과 놀다가 그대로 잠든다. 노동 후 만끽하는 맛있는 시간. 그 시간에는 제한이 있다. 다섯 시간 넘기지 말기. 일정 시간이 넘어가면 분명 편안함을 외로움으로 착각할 것이기 때문이다. 나는 자주 심심한 느낌을 외로움으로 해석해 버린다.

며칠 전에는 깜빡하고 일곱 시간 동안 소파에서 뒹굴었다. 조금 심심해졌고, 곧 외로워졌다. 친구들과 메시지를 주고받다가 생각 없이 데이팅 앱을 깔았다. 화면 속의 사람들을 구경하고, 몇 사람과 채팅을 하고, 한 사람을 직접 만나기도 했다. 그 사람은 나와 접점이 하나도 없는 사람이었다. 그와 나는 서로에게 닿지 않는 대화를 빙글빙글 나누다가 헤어졌다. 그날 밤은 허기가 올라와 냉장고를 구석구석 뒤졌다.

"연애는 외로움의 대치어가 아니다." 글 수업에서 이 문장을 만났다. 수업에 참여하는 동동은 연애나 로맨스를 향한 사회적 압박과 환상을 지적하며 묻는다. 왜 연애만 하면 모든 외로움이 해결된다고 생각할까? 연애를 하면서도 외로울 수 있고, 연애하지 않아도 외롭지 않을 수 있는데. 동동은 "나는 고독을 곱씹으며 나의 외로움을 직면하는 과정에서 안정감을 느낀다"면서, 외로움에 대한 처방도 사람마다 다를 수 있다고 썼다.

수첩을 펼쳐 몇 가지 다짐을 적었다. 심심한 느낌을 외롭다고 착각하지 않기. 집에서 늘어지는 시간은 다섯 시간 넘기지 않기. 외로움을 로맨스나 섹스로 채우지 않기(내 경우 외로워서 찾은 급한 로맨스나 섹스는 더 큰 허기를 불러왔다). 산책의 달인 되기. 다짐을 눌러 쓰는 동안 마치 내 감정과 습관을 조율하는 능숙한 지휘관이 된 것 같았다. 그간 끌려다니기 바빴기에 생소한 느낌이었다. 습관적인 감정과 허기와 동행하기 위해 수첩을 꽉 쥔다.

동의는 언제나 일어나고 있고,
늘 재협상 되거나 철회할 수 있다.

클라리스 쏜, 『S&M 페미니스트』(여성문화이론연구소, 2022)

한국성폭력상담소에서 '동의×동의 적극적 합의' 콘퍼런스가 열렸다. 성/관계를 맺기 전 STI(성매개감염)를 어떻게 말할 수 있는지, 서로의 욕망과 지향을 어떻게 조율할지를 탐구하는 자리였다. 이 내용이 포털 사이트 메인에 실리자 댓글창이 순식간에 악플로 도배됐다. 인신공격, 성희롱이 난무하는 댓글 중 기억에 남는 내용이 있다. "합의는 간단하다. 관계 전에 동의한다는 내용 녹음하고, 중간에 녹음하고, 후에 녹음하면 된다." 그에게 적극적인 합의란 "이 섹스 너도 동의한 거지? 응?"에 초점이 맞춰져 있었다. 단지 오케이 사인만 받으면 합의는 물론이고 만족스러운 섹스가 가능하다는 것인데, 이런 태도를 볼 때마다 왜 적극적 합의가 이토록 어렵고 절실한지 알 수 있다.

질문해 보자. 섹스하기 전, 당신은 상대와 서로의 욕망을 구체적으로 나눈 적이 있는가? 섹스하는 중에 '그만'이라는 말이 진심으로 받아들여진 적이 있는가? 안전어를 정한 적이 있는가? 욕망은 개별적인 것으로 보이지만, 각자의 위치에 따른 위계 역시 무시할 수 없기에 동의는 정말 섬세해야 하는, 언제나 진행형인 어려운 과정이다. 오르가슴도, 육체적인 쾌락도 '동의'를 의미하지 않으며, 설사 오르가슴을 느꼈어도 내가 원하지 않았다면 그건 동의가 아니다. 사랑도 동의의 충분조건이 될 수 없다. 사랑해도 섹스를 거부할 수 있다.

합의는 결코 간단하지 않다. 내 몸과 마음과 욕망도 이토록 복잡한데 어떻게 함께하는 일이 쉬울 수 있을까. 그러므로 나는 섹스에서 합의를 단지 '오케이?'라고 여기는 이에게 묻고 싶다. 당신이 생각하는 섹스가 뭔가요? 내가 오케이 하면 당신은 어디까지를 상상하나요? 이 질문에서부터 다시 시작하고 싶다.

그리하여 우리가 모르는 동안,
어떤 이들은 멀리 떠나버리기도 했다.

목정원, 『모국어는 차라리 침묵』(아침달, 2021)

*

끝내주게 멋진 흡연실이 마련된 강연장에 갔다. 쉬는 시간에 사람들과 함께 흡연하며 조명과 환기 시설을 구경했다. 공간을 둘러보다가 벽 한쪽에 붙은 종이를 발견했다. '다수 인원이 이용할 때 향초 피우기. 문 완전히 닫고 환기창 꼭 열기.' 여러 수칙 중에 굵게 강조된 문장이 있었다. '흡연 카르텔 조장 경계하기. 흡연자들끼리 사업에 대한 이야기 가급적 삼가기.' 농담처럼 해 온 이야기가 있다. 가장 끈끈한 건 학연, 지연, 혈연이 아닌 흡연이다! 마치 남성 위주의 2차 회식 문화 때문에 공적인 기회를 빼앗기는 존재가 있는 것처럼, 흡연도 그런 기능을 할 수 있겠다는 생각을 처음으로 했다.

몇 달 전부터 온라인에서 함께 책 읽는 세미나를 하고 있다. 세 번째 모임이 끝난 밤, 항상 적극적으로 이야기를 나누는 림이 단체 채팅방에 메시지를 남겼다. "세미나가 아름답고 즐거울수록 이 친밀함이 권력이 되지 않기를 바라는 조심스러운 마음도 있어요. 찬물 부으려는 것은 아니고 너무 좋아서 제가 경계하려고 남기는 말이에요." 나는 그저 친밀해져서 좋다고만 생각했는데, 메시지를 읽고 머리가 띵했다. 맞아, 어떤 친밀함은 권력이 될 수 있지. 권력이 되는 친밀함은 특정 부류에나 해당한다고 생각했는데, 나도 '그들'에 포함될 수 있다고 생각하니 정신이 번쩍 들었다. 친밀함과 권력의 연결고리는 애매하다. 가치관과 성격이 잘 맞아서 친한 것조차 경계해야 하나, 피곤하게 느껴지기도 한다. 그렇지만 자기가 가진(가질 수 있는) 권력을 성찰하는 이들 곁에서만 느껴지는 안정감이 있다. 다가올지 모르는 소외를 경계하는 마음, 모르지 않으려고 애쓰는 마음. 그런 이들 곁에 있다면, 나도 모르는 사이 누린 권력을 기꺼이 창피해하며 나아질 수 있다. 조용히 밀려난 누군가에게 함께 가자 손 내밀 수도 있다.

다른 사람은 아무도 우리에게 신경
쓰지 않았다. 다른 사람은 아무도
우리를 진지하게 받아들이지 않았다.
우리에게 가장 먼저 예술가가 되라고
촉구한 유일한 사람은 바로 우리였다.

캐시 박 홍, 『마이너 필링스』(마티, 2021)

다들 밥은 드셨나요?

　만나서 반가워요. 수업을 앞두면 매번 신비로운 기분이 들어요. 오늘도 그랬어요. 화창한 봄, 토요일 아침. 늦잠 자거나 놀러 갈 수 있는 시간에 글을 쓰려고 모인 마음은 무엇일까? 안 쓴다고 누가 혼내는 것도 아닌데 말이죠.

　수업을 하며 만난 다양한 사람들이 떠올라요. 돌봄과 가사노동에 하루가 꽉 차 있어도 식구들이 모두 잠든 새벽에 홀로 식탁에서 글을 쓰는 기혼 여성. 새벽에 출근해 새벽에 퇴근하면서도 지하철과 버스에서 틈틈이 글을 쓰는 노동자. 다양한 환경에서 치열하게 들려주는 고단하고 웃기고 슬픈 이야기를 들으면 어느새 궁금증은 해소되어 있죠. 쓰고 싶은 마음은 내 안에 할 이야기가 있다는 것, 꼭 꺼낼 이야기가 있는 거였어요.

　혼자 쓸 수도 있는데, 우리는 왜 함께 쓰려고 모였을까요? 저는 크게 두 가지를 생각해요. 일단 물리적인 마감. 마감이 없으면 글을 쓰기 힘들죠. 아마 저를 포함해 많은 작가가 그럴 거로 예상해요. 집필 공동체는 서로의 작가이자 독자 그리고 편집자가 되기로 약속하는 관계예요. 언제까지 글을 쓰자는 약속이 물리적 마감을 만드는 거겠죠.

　다른 하나는 믿음이에요. 우리는 자라면서 나대지 말라는 압력을 받아 왔죠. 혼자 쓸 때면 어김없이 자기 의심이 마음 깊은 곳에서 올라와. 믿지 못하는 마음은 믿는 마음보다 익숙하고 쉬우니까요. 의심을 안고 글을 쓰면 완성도에 집착하느라 어깨에 힘이 들어가고 꾸준히 쓰기 어려워요. 저에게 집필 공동체는 믿음에 집중하게 돕는 관계였어요. 그렇게 꾸준히 쓰면 마음속 이야기를 풀어내는 방식을 찾아갈 수 있을 거라고 믿어요. 앞으로 의심이 올라올 때, 이거 하나만 기억해 주세요. 나를 믿기 어려울 때 나를 믿어 주는 우리를 믿기.

관계의 말들
: 함께 또 따로 잘 살기 위하여

2022년 12월 24일   초판 1쇄 발행
2023년 8월 4일   초판 2쇄 발행

지은이
홍승은

펴낸이	**펴낸곳**	**등록**
조성웅	도서출판 유유	제406-2010-000032호 (2010년 4월 2일)

주소
경기도 파주시 돌곶이길 180-38, 2층 (우편번호 10881)

전화	**팩스**	**홈페이지**	**전자우편**
031-946-6869	0303-3444-4645	uupress.co.kr	uupress@gmail.com

	페이스북	**트위터**	**인스타그램**
	facebook.com /uupress	twitter.com /uu_press	instagram.com /uupress

편집	**디자인**	**조판**	**마케팅**
김은우, 김은경	이기준	정은정	전민영

제작	**인쇄**	**제책**	**물류**
제이오	(주)민언프린텍	다온바인텍	책과일터

ISBN 979-11-6770-051-3 03810